Elisa Ferri – Maria Cristin

COME
SI DICE?

Imparare a comunicare
in tutte le situazioni della vita quotidiana

G GIUNTI DEMETRA

Collana a cura di Maria Cristina Peccianti

Testi: Elisa Ferri
Revisione e curatela: Maria Cristina Peccianti
Progetto grafico: Adriano Nardi
Impaginazione: Thesis Contents, Firenze - Milano
Disegni: Archivio Giunti / Moreno Chiacchiera

L'editore si dichiara disponibile a regolare eventuali spettanze per quelle immagini di cui non sia stato possibile reperire la fonte.

LEGENDA

Il simbolo indica le battute del personaggio principale, Moar.
Il simbolo indica le battute degli altri personaggi: Said, Sara, Hassan, Suad, Tommaso, Aline.
Il simbolo indica le battute degli interlocutori dei diversi personaggi.

www.giunti.it

© 2008, 2013 Giunti Editore S.p.A.
Via Bolognese 165 - 50139 Firenze - Italia
Via Borgogna 5 - 20122 Milano - Italia
Prima edizione: ottobre 2008

Ristampa	Anno
6 5 4 3 2 1 0	2017 2016 2015 2014 2013

FSC
www.fsc.org
MISTO
Carta da fonti gestite in maniera responsabile
FSC® C023532

Stampato presso Giunti Industrie Grafiche S.p.A. - Stabilimento di Prato

Questo volumetto, come tutti quelli della collana "Scuola d'italiano", si propone di aiutare gli stranieri ad esprimersi in italiano, per comunicare le più elementari necessità, nelle varie situazioni quotidiane.

Il materiale è strutturato secondo un percorso di autoapprendimento di facile uso, che non richiede l'intervento di un insegnante.
È articolato in unità, ognuna delle quali è centrata su uno dei più comuni scenari di vita quotidiana. All'interno delle unità sono fornite le strutture comunicative più semplici, utili e frequenti per chiedere informazioni, chiedere per ottenere qualcosa, segnalare problemi, esprimere bisogni e così via.

In tutte le pagine si fa largo uso delle immagini. Le sequenze comunicative sono illustrate da vignette che ne agevolano la comprensione e la memorizzazione.

Alcune rubriche specifiche danno informazioni o spiegazioni brevi, ma essenziali, sul funzionamento di alcuni servizi della società italiana.

Ogni unità si chiude con una pagina di quesiti situazionali, in cui il lettore può mettersi alla prova e verificare personalmente la sua capacità di riutilizzare quanto appreso. Le soluzioni dei quesiti vengono date in fondo al volume.

Maria Cristina Peccianti

COME SI DICE…
… PER PRENDERE UN AUTOBUS

MOAR CERCA LA FERMATA DELL'AUTOBUS

🗨 Mi scusi, **dove** posso prendere un autobus per andare in centro?
🗨 Deve andare alla fermata dell'autobus numero 10.

🗨 **Dov'è** la fermata del-
l'autobus numero 10?
🗨 La fermata dell'au-
tobus è **in fondo** alla
strada, **sulla sinistra**.

🗨 **Dove** posso comprare
il biglietto?
🗨 Può comprare il
biglietto all'edicola,
al bar o alla stazione
degli autobus.

5

🗨 Mi scusi, **dov'è** la stazione degli autobus?
🗨 È **davanti** alla stazione dei treni.

COME SI CHIAMA

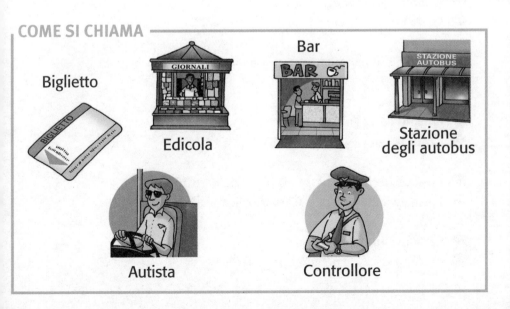

Biglietto

Edicola

Bar

Stazione
degli autobus

Autista

Controllore

MOAR È ALLA BIGLIETTERIA

6

💬 Mi scusi, **che autobus** devo prendere per andare in centro, in Piazza del Popolo?

🗨 Deve prendere l'autobus numero 3.

💬 **Quanto costa** un biglietto singolo?

🗨 Costa un euro e vale 60 minuti.

💬 Un biglietto per quattro corse **quanto costa**?

🗨 Costa 3,50 euro.

💬 **Quanto costa** l'abbonamento settimanale?

🗨 Costa 10 euro.

💬 Mi scusi, **a che ora** passa l'autobus numero 3?

🗨 Passa ogni 20 minuti. C'è l'orario vicino alla fermata.

💬 **Ci sono** autobus notturni?

🗨 Sì, dopo le 22 c'è un autobus ogni ora.

CHIEDERE PER AVERE QUALCOSA

💬 Vorrei un biglietto singolo, da 60 minuti.

💬 Un biglietto da 4 corse, per favore!

💬 Un abbonamento settimanale, per piacere!

💬 Vorrei una cartina degli autobus.

COSA SIGNIFICA ·······················

« BIGLIETTO DA 60 MINUTI »
Con questo biglietto, dopo averlo obliterato (timbrato), per 60 minuti puoi prendere tutti gli autobus che vuoi.

« ABBONAMENTO »
È un biglietto particolare. Con questo biglietto puoi prendere gli autobus senza dover mai comprare un altro biglietto. Può durare una settimana o un mese.

« AUTOBUS NOTTURNO »
È un autobus che circola di notte.
Di notte gli orari degli autobus cambiano.

« CARTINA DEGLI AUTOBUS »
È una piccola mappa con i percorsi delle varie linee di autobus. Se guardi la cartina, sai quale numero di autobus devi prendere per andare in un posto.

7

·······························

✓ **Devi comprare il biglietto prima di salire sull'autobus.**

✓ **Devi obliterare (timbrare) il biglietto all'interno dell'autobus, alla macchina obliteratrice (timbratrice).**

✓ **Se compri il biglietto sull'autobus dall'autista, il biglietto costa di più.**

MOAR È SULL'AUTOBUS

💬 Mi scusi, **è questo l'autobus** che va in Piazza del Popolo?

💬 Sì, è questo.

💬 **A quale fermata** devo scendere per andare in Piazza del Popolo?

💬 Deve scendere alla terza fermata!

💬 Scusi, signora, devo andare alla questura. Mi sa dire **dov'è**?

💬 **È di fronte** alla fermata. Deve solo attraversare la piazza.

IL CONTROLLORE
Biglietti, prego!

L'AUTISTA
Siamo al capolinea. Si prega di scendere.

COSA SIGNIFICA ·

« CAPOLINEA »
È l'ultima fermata della corsa di un autobus. Al capolinea l'autobus si ferma e poi torna indietro.

« CONTROLLORE »
È una persona che sale qualche volta sugli autobus per controllare i biglietti dei passeggeri. Se non hai il biglietto o non hai timbrato il biglietto, il controllore ti fa pagare una multa.

ABBINA IL NUMERO ALLA LETTERA GIUSTA

1 FERMATA

2 AUTISTA

3 BIGLIETTO

4 MACCHINA OBLITERATRICE

5 ORARIO

1 ☐   2 ☐   3 ☐   4 ☐   5 ☐

TROVA LE SOLUZIONI

1 Hai timbrato questo biglietto mezz'ora fa, sull'autobus numero 3, e sei sceso al capolinea. Puoi prendere l'autobus numero 9 senza comprare un altro biglietto?
☐ Sì ☐ No

2 Se la stazione degli autobus è chiusa, dove puoi comprare i biglietti?
☐ Al supermercato.
☐ All'edicola.
☐ Alla stazione dei treni.

3 Sei sull'autobus, il controllore ti chiede il biglietto. Tu hai il biglietto, ma non lo hai timbrato. Devi pagare la multa?
☐ Sì ☐ No

COME SI DICE...
... PER PRENDERE UN TRENO

MOAR È ALLA STAZIONE

💬 Mi scusi, **dov'è** l'ufficio informazioni?

💬 L'ufficio informazioni è **vicino** all'ingresso.

💬 Mi scusi, **dov'è** la biglietteria?

💬 La biglietteria è **a destra** dell'ingresso.

💬 Mi scusi, **dov'è** il bar?

💬 Il bar è **dentro** la stazione, dopo la biglietteria.

💬 Mi scusi, **dov'è** il sottopassaggio?

💬 Il sottopassaggio è vicino al bar, **a sinistra**.

💬 Mi scusi, **a che ora** parte il treno per Roma?

💬 Il treno per Roma parte alle 8.30.

COME SI CHIAMA

Treno

Sottopassaggio

Binario

MOAR È ALLA BIGLIETTERIA DELLA STAZIONE

🗨 Mi scusi, **a che ora** parte il prossimo treno per Roma?
🗨 Parte alle 8.30.

🗨 **Da quale binario** parte il treno delle ore 8.30 per Roma?
🗨 Parte dal binario 4.

🗨 **A che ora** arriva a Roma?
🗨 Arriva alle 10.35.

🗨 **Quanto costa** un biglietto di seconda classe per Roma?
🗨 Costa 14 euro.

🗨 **Quanto costa** un biglietto di andata e ritorno per Roma?
🗨 Costa 28 euro.

🗨 **Per quanto tempo** è valido il biglietto?
🗨 Il biglietto vale 2 mesi.

🗨 **C'è** la prenotazione obbligatoria?
🗨 No.

🗨 **Ci sono** prezzi ridotti per i lavoratori?
🗨 No.

🗨 **Ci sono** abbonamenti settimanali?
🗨 Sì.

CHIEDERE PER AVERE QUALCOSA

💬 Vorrei l'orario di tutti i treni della mattina per Roma.

💬 Un biglietto di andata e ritorno per Roma, seconda classe. Grazie!

💬 Vorrei un biglietto di seconda classe, con prenotazione del posto, sul treno Intercity delle 8.30 per Roma.

COSA SIGNIFICA

« R_TRENO REGIONALE »
Collega piccole città di una stessa regione. Ha solo posti di 2ª classe.

« IR_TRENO INTERREGIONALE »
Collega città di regioni vicine. Ha posti di 1ª e 2ª classe.

« IC_TRENO INTERCITY »
Collega tutta l'Italia. È un treno più veloce dell'interregionale. Non si ferma in tutte le stazioni. Ha posti di 1ª e 2ª classe.

13

« ES_TRENO EUROSTAR »
Collega tutta l'Italia. Viaggia ad alta velocità e si ferma solo nelle stazioni più importanti. Ha posti di 1ª e 2ª classe con prenotazione obbligatoria.

🚆 PADOVA		PARTENZE	
DESTINAZIONE	CATEGORIA	ORARIO	BINARIO
VENEZIA S.LUCIA	R	9:05	1
TRIESTE	IR	9:15	2
MILANO CENTRALE	IC	9:27	3
ROMA TERMINI	ES*	10:05	4

✓ **Ricordati di obliterare il biglietto prima di salire sul treno! Le macchine obliteratrici si trovano sui binari o alla biglietteria.**

MOAR È AL BINARIO

🗨 Scusi, è questo il treno per Roma?

🗨 Sì.

🗨 Questo treno ferma a Orvieto?

🗨 Credo di sì.

ANNUNCI IN STAZIONE

🔊 Il treno Interregionale delle ore 15.10 proveniente da Milano e diretto a Bologna è in arrivo al binario 7.

🔊 Il treno Intercity delle ore 16.00 diretto a Venezia è in partenza dal binario 9. Ferma a Mestre.

🔊 Il treno Eurostar numero 1053 delle ore 16.30 diretto a Bolzano, partirà dal binario 10 anziché dal binario 11. Prima classe settore D.

🔊 Il treno Intercity delle ore 16.18 proveniente da Napoli e diretto a Trieste viaggia con un ritardo di 20 minuti.

🔊 Attenzione, si pregano i signori viaggiatori di non oltrepassare la linea gialla.

ANNUNCI IN TRENO

🔊 Avvisiamo i signori viaggiatori che il treno è in arrivo alla stazione di Orvieto.

🔊 Prossima fermata Orvieto.

🔊 Avvisiamo i signori viaggiatori che il treno viaggia con un ritardo di 20 minuti. Ci scusiamo per il disagio.

✓ **Se dimentichi di timbrare il biglietto prima di salire sul treno rivolgiti subito al controllore. Il controllore ti timbra il biglietto senza farti pagare la multa.**

INFO

MOAR È SUL TRENO

A UN PASSEGGERO

💬 **È questo** il treno per Roma?
💬 Sì, è questo.

💬 Scusi, **è libero** questo posto?
💬 No, **è occupato**!

💬 **In che stazione** siamo?
💬 Siamo a Prato.

💬 Mi scusi, **posso** aprire il finestrino?
💬 Prego.

💬 Potrebbe avvisarmi quando arriviamo a Orvieto?
💬 Mi dispiace, io scendo prima.

15

AL CONTROLLORE

💬 Mi scusi, dov'è la carrozza n. 10?
💬 Più avanti.

💬 Mi scusi, **a che ora** arriva il treno a Orvieto?
💬 Arriva alle 9.45.

💬 **A che ora** ho la coincidenza per Viterbo?
💬 Ha una coincidenza alle 9.58.

💬 **Quante fermate** ci sono prima di Orvieto?
💬 Ci sono quattro fermate.

COSA SIGNIFICA ·

« COINCIDENZA »
Quando scendi in una stazione, ma devi andare in un'altra città, la coincidenza
è il primo treno che parte per quella città.

MI METTO ALLA PROVA

ABBINA IL NUMERO ALLA LETTERA GIUSTA

1 UFFICIO INFORMAZIONI

A

B

2 BIGLIETTO

3 TRENO

C

D

4 SOTTOPASSAGGIO

5 BIGLIETTERIA

E

| 1 ☐ | 2 ☐ | 3 ☐ | 4 ☐ | 5 ☐ |

16

GIOCHI DI PAROLE

1. Vi arrivano e ripartono i treni.
2. È la persona che controlla i biglietti.
3. È un tipo di treno molto veloce, che viaggia in tutta Italia.
4. È il posto dove si possono acquistare i biglietti.
5. In treno c'è la 1ª e la 2ª.
6. Lo fanno qualche volta i treni.

TROVA LE SOLUZIONI

1 Se vuoi arrivare in poco tempo da Roma a Milano prendi un treno:
☐ Interregionale (IR)
☐ Intercity (IC)
☐ Eurostar (ES)

2 Se un posto non è libero è:
☐ Prigioniero.
☐ Occupato.
☐ Disoccupato.

3 Stai per arrivare alla stazione di Bologna. Vuoi sapere a che ora hai il primo treno per Ancona. Cosa chiedi al controllore?
☐ Scusi, a che ora ho la coincidenza per Ancona?
☐ Scusi, come faccio per andare ad Ancona?
☐ Scusi, a che ora partono i treni per Ancona?

17

COMPLETA CON LE PAROLE GIUSTE

binario – biglietti – prenotazione – coincidenza

A: Buongiorno, signori! .... prego!

B: Mi scusi, a che ora arriva il treno a Milano? Devo prendere la .... per Torino delle ore 13.50.

A: Non si preoccupi, arriveremo a Milano alle 13.30.

B: Da quale .... parte il treno per Torino?

A: Parte dal binario 2. È un Eurostar, ha fatto la ....?

B: Sì. Grazie!

A: Prego, buon viaggio.

MOAR È ALL'AGENZIA DI VIAGGI

💬 Vorrei andare a Roma in aereo. **Che voli** ci sono?
💬 **Quando** vuole partire?

💬 Il 29 gennaio. È un martedì.
💬 Il martedì c'è il volo AZ9123 per Roma delle 7.55 della compagnia Alitalia.

💬 Vorrei tornare il **giorno dopo**. Che voli ho da Roma?
💬 Mattina o pomeriggio?

💬 **Pomeriggio**.
💬 Mercoledì pomeriggio ha un volo alle 15.25, che arriva a Venezia alle 16.30.

💬 Quanto costa il biglietto di **andata e ritorno**?
💬 120 euro.

💬 Va bene. Faccio le prenotazioni e il biglietto.
💬 **Quale posto** desidera? Vicino al corridoio, centrale o vicino al finestrino?
💬 **Vicino al finestrino**, grazie.

MOAR VA ALL'AEROPORTO

**PRENOTARE UN TAXI
PER L'AEROPORTO**

💬 Vorrei prenotare un taxi per domani. Devo **andare all'**aeroporto Marco Polo di Venezia.

💬 Sì. A che ora vuole **partire da** casa?

💬 Voglio partire alle 6.

CHIEDERE INFORMAZIONI SUL PULLMAN PER L'AEROPORTO

💬 Vorrei sapere se c'è un pullman che **va da** Mestre **all'**aeroporto Marco Polo di Venezia, domani alle 6.

💬 Sì, c'è.

💬 Da dove parte il pullman?

💬 Il pullman **parte dalla** Stazione Centrale di Mestre, alle 6.10.

MOAR È ALL'AEROPORTO DI PARTENZA

💬 Mi scusi, **è questo il check-in** del volo nazionale AZ9123 per Roma?

💬 Sì, è questo.

💬 **Quanti bagagli a mano** posso portare?

💬 Uno.

💬 Posso portare **questa borsa** come bagaglio a mano?
🗨 Sì, va bene.

🗨 Ha oggetti pericolosi nel bagaglio a mano?
💬 No.

🗨 Ecco, **questa è la carta d'imbarco**, cancello 2, ora d'imbarco 12.15.

✓ Se il bagaglio pesa più di 20 chilogrammi, devi pagare una tassa
per il sovrappeso.

✓ Non puoi mettere oggetti pericolosi (forbici, rasoi, coltelli, liquidi
infiammabili) nel bagaglio a mano. Puoi mettere questi oggetti
solo nei bagagli che consegni al check-in.

ANNUNCI ALLA PORTA D'IMBARCO

🔊 Il volo nazionale AZ9123 per Roma subirà un ritardo di 60 minuti.

🔊 Il volo nazionale AZ9123 per Roma è stato cancellato, a causa dello
sciopero.

🔊 I passeggeri del volo AZ9123 sono pregati di avvicinarsi
al cancello 2 per l'imbarco.

🔊 Ultima chiamata per il volo AZ9123.

Cosa devi fare al check-in:

✓ Metti tutti gli oggetti metallici (chiavi, accendino,
cintura) nel contenitore che ti dà la polizia.

✓ Togliti il cappotto o la giacca e falli passare sotto
il metal detector.

✓ Consegna alla polizia la carta d'imbarco e la carta
d'identità o il passaporto.

✓ Apri il bagaglio a mano se la polizia te lo chiede.

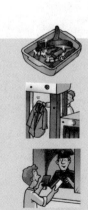

MOAR È SULL'AEREO

💬 **Dove devo** sedermi?

🗨 Quinta fila a sinistra, corridoio. Il numero del suo posto è sulla carta d'imbarco.

💬 **Dove posso** mettere la borsa?

🗨 Nel portabagagli.

💬 **Potrei avere** un bicchiere d'acqua?

🗨 Certamente. Glielo porto subito.

🗨 Vuole un tè, un caffè, un succo di frutta?

💬 Un succo di ananas, grazie.

🗨 Non ho succo di ananas, mi dispiace. Ho succo di arancia, di pera o di pesca.

💬 **Prendo un succo** di arancia. Grazie!

ANNUNCI SULL'AEREO

🔊 Si prega di rimanere seduti al proprio posto e di allacciare le cinture di sicurezza.

🔊 Si prega di non fumare.

22

MOAR È ALL'AEROPORTO D'ARRIVO

💬 Mi scusi, **arrivano qui** i bagagli del volo da Venezia?

💬 Sì.

💬 Il mio bagaglio **non è arrivato**, cosa devo fare?

💬 Deve andare all'Ufficio ritiro bagagli.

💬 Il mio bagaglio non è arrivato, **cosa devo fare**?

💬 Deve compilare questo modulo.

💬 **Come devo** compilare il modulo?

💬 Deve scrivere com'è il bagaglio che ha perso, il numero del suo volo, il suo numero di telefono e il suo indirizzo.

UFFICIO RITIRO BAGAGLI

23

💬 Quando posso riavere il mio bagaglio?

💬 Domani.

💬 **Vengo qui** a prenderlo?

💬 No, lo riceverà direttamente a casa sua.

💬 Ma io domani **non sono a casa**. Posso venire a prenderlo qui?

💬 Va bene. Scrivo sul modulo che viene lei.

MI METTO ALLA PROVA

METTI IN ORDINE LE FRASI

A Moar è alla porta d'imbarco.

B Moar è all'ufficio ritiro bagagli.

C Moar è in volo.

D Moar è al check-in.

E Moar aspetta di ritirare la valigia.

 1 ☐   2 ☐   3 ☐   4 ☐   5 ☐

ABBINA IL VOLO ALLA RICHIESTA

1. Devo andare da Venezia a Roma.

A. Martedì 27/01/09
ore 6.25 – Partenza: Roma
ore 7.30 – Arrivo: Venezia
Martedì 27/01/09
ore 22.25 – Partenza: Venezia
ore 23.30 – Arrivo: Roma

2. Devo andare da Venezia a Roma e tornare in un solo giorno.

B. Martedì 27/01/09
ore 14.20 – Partenza: Venezia
ore 15.35 – Arrivo: Roma

3. Devo andare da Roma a Venezia e tornare in un solo giorno.

C. Martedì 27/01/09
ore 7.55 – Partenza: Venezia
ore 8.55 – Arrivo: Roma
Martedì 27/01/09
ore 21.25 – Partenza: Roma
ore 22.30 – Arrivo: Venezia

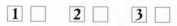 1 ☐   2 ☐   3 ☐

COMPLETA CON LE PAROLE GIUSTE

ufficio – check-in – carta d'imbarco – bagaglio a mano – taxi

1. Se devi andare all'aeroporto e non hai l'automobile puoi chiamare un ....
2. Prima di salire sull'aereo devi fare il ....
3. Non devi mettere oggetti pericolosi nel ....
4. Il numero del posto dove sedere in aereo è scritto sulla ....
    ....
5. Se perdi il bagaglio devi andare all' .... ritiro bagagli.

ABBINA IL NUMERO ALLA LETTERA GIUSTA

1 CHECK-IN

2 CARTA D'IMBARCO

3 BAGAGLIO A MANO

4 CARTA DI IDENTITÀ

5 PORTA D'IMBARCO

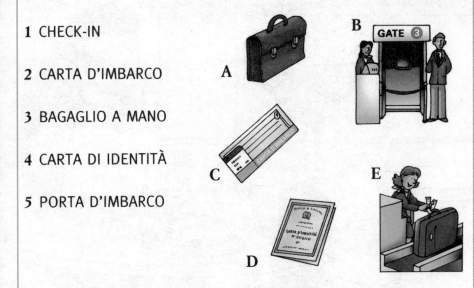

1 ☐   2 ☐   3 ☐   4 ☐   5 ☐

COME SI DICE...
... AL BAR

MOAR E SAID PRENDONO UN CAFFÈ

OFFRIRE

- Prendi un caffè, Said?
- Sì, grazie.
- Oggi ti offro io il caffè!
- Va bene, grazie!

ORDINARE

- Mi scusi, vorrei un caffè
  e un cappuccino, per favore!
- Il caffè, macchiato?
- No, un caffè normale.
- Va bene.
- Vorrei anche un bicchiere
  di acqua naturale.
- Subito!

27

COME SI CHIAMA

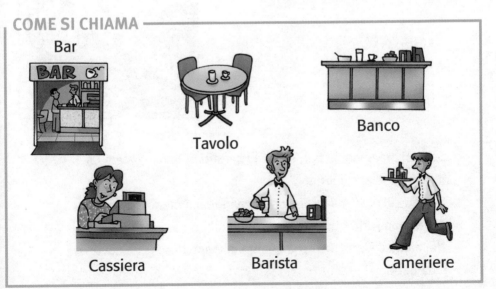

Bar

Tavolo

Banco

Cassiera

Barista

Cameriere

MOAR MANGIA AL BAR

💬 Mi scusi, **c'è un tavolo libero**?
🗨 Sì. Per quante persone?
💬 Per uno!
🗨 Si accomodi pure qui, al tavolo 3.
💬 **Posso avere il menù**?
🗨 Eccolo!

💬 **Vorrei** un toast e un tramezzino al prosciutto.
🗨 Va bene, e da bere?
💬 **Vorrei** una minerale da mezzo litro.
🗨 Ok!

28

💬 **Posso avere** il conto, per favore?
🗨 Deve pagare alla cassa.

✓ Se vuoi mangiare al bar, prima di sederti al tavolo chiedi il permesso al cameriere.
✓ Se non sai cosa mangiare, chiedi il menù. Il menù è un foglio dove sono scritte tutte le cose che puoi mangiare e bere.
✓ Nel menù c'è scritto anche quanto costano le cose da mangiare e da bere.

INFO

MOAR E SARA PRENDONO L'APERITIVO

INVITARE

- 💬 Tu cosa **prendi da bere**, Sara?
- 💬 **Prendo** un bicchiere di vino bianco.
- 💬 **Vuoi** qualcosa da mangiare?
- 💬 **Vorrei** delle patatine, grazie!
- 💬 Io invece prendo un aperitivo analcolico e un po' di olive.

ORDINARE

- 💬 Mi scusi, **vorrei** un bicchiere di vino bianco e un aperitivo analcolico.
- 💬 Va bene. **Volete** qualcosa da mangiare?
- 💬 Sì, delle patatine e delle olive.
- 💬 Va bene. Preferite le olive verdi o nere?
- 💬 Verdi, grazie.

- 💬 Quanto **pago**?
- 💬 Deve **pagare** alla cassa.

29

MOAR PAGA ALLA CASSA

💬 Devo pagare un bicchiere di vino e un aperitivo analcolico con patatine e olive, **quant'è?**

💬 8,60 euro.

💬 Ha della moneta, per favore?

💬 Mi dispiace, **non ho moneta.** Ho solo un pezzo da 20 euro.

💬 Non si preoccupi. Ecco il suo resto. Arrivederci.

💬 Arrivederci.

COSA SIGNIFICA ···

« MONETA »
Sono i soldi di metallo. Quando la cassiera ti chiede la moneta o gli spiccioli, di solito ti chiede se hai i centesimi.

· ·

✓ Se in un bar mangi e bevi al banco, di solito prima paghi alla cassa e poi dai lo scontrino al barista.

✓ Se invece ti siedi al tavolo, puoi pagare dopo alla cassa.

INFO

MI METTO ALLA PROVA

CANCELLA LA PAROLA
CHE NON È AL POSTO GIUSTO

BEVANDE	CIBI	APERITIVO
Caffè	Tramezzino	Vino bianco
Tè	Vino	Aperitivo analcolico
Cappuccino	Patatine	Cappuccino
Toast	Panino al prosciutto	Prosecco

ABBINA LE BATTUTE GIUSTE

1. Vorrei un caffè.
2. Quanto pago?
3. Prendi un aperitivo?
4. C'è un tavolo libero?
5. Vuole qualcosa da mangiare?

A. Deve pagare alla cassa.
B. Sì, grazie!
C. Per quante persone?
D. Sì, un tramezzino.
E. Normale o macchiato?

1 ☐ 2 ☐ 3 ☐ 4 ☐ 5 ☐

ABBINA IL NUMERO ALLA LETTERA GIUSTA

1 CAFFÈ

2 CAPPUCCINO

3 TÈ

4 BIRRA

5 BICCHIERE D'ACQUA

6 LATTINA

 A
 B
  C
 D
 E
 F

1 ☐ 2 ☐ 3 ☐ 4 ☐ 5 ☐ 6 ☐

COME SI DICE...
... ALL'ALBERGO

MOAR VA ALL'UFFICIO TURISTICO

- Buongiorno, **cerco un albergo** vicino al centro. Sa darmi delle indicazioni?
- Sì. Quanto vuole spendere?
- Vorrei un **albergo economico**.
- C'è un albergo economico vicino al centro. È in via Carducci.
- Quanto **costa**?
- Vuole una camera singola o doppia?
- **Una doppia**.
- Una camera doppia con prima colazione costa 50 euro. Con pensione completa costa 45 euro a persona.

COSA SIGNIFICA ·

33

« CAMERA CON PENSIONE COMPLETA »
Significa che paghi l'albergo per dormire, fare colazione, pranzare e cenare.

« CAMERA CON MEZZA PENSIONE »
Significa che paghi l'albergo per dormire, fare colazione e fare un pasto (di solito la cena).

« CAMERA CON PRIMA COLAZIONE »
Significa che paghi l'albergo per dormire e fare colazione.

· ·

COME SI CHIAMA

Reception

Ascensore

Bagagli

Portiere

Facchino

MOAR TELEFONA PER PRENOTARE

💬 Albergo Roma? Buongiorno, **avete una camera doppia** per una settimana?

💬 Sì. Con pensione completa?

💬 No, solo per dormire. **Quanto costa** la camera a notte?

💬 50 euro.

💬 **È compresa la prima colazione**?

💬 Sì.

💬 Va bene, **prenoto la stanza**. Mi può dare l'indirizzo dell'albergo?

💬 L'albergo è in via Carducci, al numero 15. Mi dice il suo nome, per cortesia?

💬 Il mio nome è Moar Djré.

💬 **Grazie. Arrivederci**.

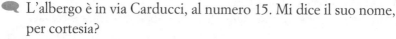

COME SI CHIAMA

Camera singola

Camera matrimoniale

Camera doppia

Camera tripla

MOAR E SARA SONO IN ALBERGO

PRENDERE UNA CAMERA IN ALBERGO

🗩 Buonasera, **ho prenotato** una camera doppia, a nome di Moar Djré.

🗩 Sì. Quante notti **vi fermate**?

🗩 **Ci fermiamo** quattro notti.

🗩 Potete darmi i vostri documenti?

🗩 Sì. **Eccoli**.

🗩 La vostra camera è la
   numero 35, al terzo
   piano. Questa è la
   chiave.

🗩 Scusi, **dov'è l'ascen-
   sore**?

🗩 L'ascensore è lì,
   a destra.

🗩 **A che ora** possiamo
   fare **colazione**?

🗩 La colazione è dalle
   8 alle 10, nella sala
   ristorante.

35

CHIEDERE INFORMAZIONI ALLA RECEPTION

🗩 Scusi, **per andare in centro...**?

🗩 È vicinissimo. Dall'albergo girate a sinistra, fate tutta via Roma, e arri-
   vate in Piazza del Duomo.

🗩 Ci sa indicare una buona pizzeria?

🗩 In Piazza del Duomo c'è una pizzeria dove si mangia bene e si spende
   poco.

🗩 **Grazie mille**.

MOAR HA DEI PROBLEMI

PROTESTARE O LAMENTARSI

- La camera è sbagliata. Io avevo prenotato una camera doppia, non una matrimoniale.

- La camera è troppo rumorosa.

- In bagno non c'è acqua calda.

- Non abbiamo gli asciugamani.

- L'aria condizionata non funziona.

ESPRIMERE DIFFICOLTÀ

- Ho perso la chiave della camera. Come faccio?

- Abbiamo fatto tardi per la colazione. Possiamo avere due caffè?

- La mia amica non sta bene. Può chiamare un medico, per favore?

- Non mi sento bene. Posso avere un latte caldo in camera?

- Dalla mia valigia è sparita la macchina fotografica. Cosa devo fare?

✓ Quando esci dall'albergo devi sempre lasciare la chiave della camera alla reception. Riprendi la chiave quando ritorni in albergo.

✓ In albergo paghi il conto prima di partire. Nel conto trovi da pagare in più se hai fatto delle telefonate dalla camera oppure hai preso qualcosa dal frigo-bar.

INFO

MI METTO ALLA PROVA

LEGGI IL DIALOGO E INDICA
SE LE AFFERMAZIONI SONO VERE O FALSE

A: Vorrei una camera singola per una settimana.
B: C'è una camera senza bagno.
A: Va bene. Quanto costa?
B: Costa 40 euro a notte.
A: La colazione è compresa nel prezzo?
B: No.

		V	F
1	Moar vuole una camera per due persone.	☐	☐
2	Non c'è il bagno in camera.	☐	☐
3	La camera costa 100 euro per tutta la settimana.	☐	☐
4	Il prezzo della camera è solo per dormire, senza colazione.	☐	☐

37

SCEGLI IL SIGNIFICATO GIUSTO

1 Una camera doppia è:
   ☐ Una camera con due letti.
   ☐ Una camera con un letto matrimoniale.
   ☐ Una camera con un letto.

2 Se fai pensione completa, in albergo:
   ☐ Dormi e fai colazione.
   ☐ Dormi, fai colazione e ceni.
   ☐ Dormi, fai colazione, pranzi e ceni.

3 Se prenoti una camera, quando arrivi in albergo:
   ☐ Hai una camera già pagata.
   ☐ Hai una camera pronta per te.
   ☐ Puoi scegliere la camera che vuoi.

COME SI DICE…
… AL RISTORANTE IN PIZZERIA

MOAR PRENOTA UN TAVOLO

💬 **Vorrei prenotare** un tavolo per due persone per le 8, stasera.
💬 Mi dispiace, per le 8 non ci sono più tavoli liberi.

💬 **È possibile prenotare** un tavolo per le 9?
💬 Sì, alle 9 va bene. Il suo nome, per favore?
💬 Moar Djré.

💬 Buonasera, **avete un tavolo libero** per due persone?
💬 Mi dispiace, è tutto pieno, deve aspettare un po'.

💬 **Quanto tempo** devo aspettare?
💬 Fra 15 minuti si libera un tavolo.

COSA SIGNIFICA ·

« PRENOTARE UN TAVOLO »
Significa che prima di andare a mangiare in un ristorante telefoni o vai di persona a chiedere di tenere un tavolo occupato per te, nel giorno e ora che vuoi.

MOAR E SARA SONO AL RISTORANTE

🗩 Avete scelto? Che cosa ordinate da mangiare?

40 🗩 **Di primo prendo** gli spaghetti al pomodoro.

🗩 Io prendo le tagliatelle al ragù.

🗩 E di secondo?

🗩 **Di secondo prendo** il pollo arrosto.

🗩 Io invece prendo un filetto di manzo.

🗩 Prendete qualcosa come contorno?

🗩 **Come contorno vorrei** delle patate al forno.

🗩 Per me un'insalata mista.

🗩 Desiderate un antipasto?

🗩 **Cosa avete** come antipasto?

🗩 Abbiamo affettati e formaggi misti, molto buoni.

🗩 **Va bene. Prendiamo** un antipasto, ma per una sola persona.

🗩 Volete ordinare anche un dessert?

🗩 No, grazie. Prendiamo solo il caffè.

🗩 Che cosa ordinate da bere?

🗩 Io vorrei una bottiglia di acqua naturale.

🗩 Per me invece mezzo litro di vino bianco.

💬 Mi scusi, **mi può portare il conto**?
🗨 Subito.

💬 **Posso pagare con la carta** di credito?
🗨 Sì, certo.

💬 Mi scusi, nel conto c'è un errore.
Io non ho ordinato la birra.
🗨 Mi dispiace, correggiamo subito.

COSA SIGNIFICA ·

Quando vai a mangiare al ristorante, nel menù trovi questi cibi:

« ANTIPASTI »
Sono porzioni piccole di cibo che mangi prima del primo. Fra gli antipasti puoi mangiare gli affettati misti, le bruschette, l'insalata di mare.

« PRIMI »
È il primo piatto, che mangi dopo gli antipasti. Fra i primi puoi mangiare le lasagne, gli spaghetti, il risotto, gli gnocchi, la minestra di verdura.

« SECONDI »
È il secondo piatto che mangi dopo aver finito il primo. Fra i secondi puoi mangiare la carne (pollo arrosto, bistecca di vitello, braciola di maiale), o il pesce (pesce alla griglia, pesce arrosto, frittura).

« CONTORNI »
È la verdura, cruda o cotta, che mangi insieme al secondo.

« DESSERT »
Sono i dolci o la frutta che mangi dopo il secondo.

· ·

✓ **C'è differenza fra un ristorante e una pizzeria. Il ristorante**
è un locale dove puoi mangiare antipasti, primi, secondi e dolci.
La pizzeria è un locale dove mangi principalmente la pizza.
La pizzeria costa meno del ristorante.

INFO

MOAR E SAID VANNO IN PIZZERIA

💬 **Buonasera**, siamo in due.
C'è un tavolo libero?

💬 Accomodatevi dove preferite.

💬 Cameriere, **possiamo ordinare**?

💬 Sì, volete il menù o avete già deciso?

💬 **Abbiamo già deciso**. Io prendo una
pizza ai funghi.

💬 Per me una pizza margherita.

💬 Da bere?

💬 Io prendo una birra media.

💬 Per me mezzo litro di acqua minerale
naturale.

💬 Prendete qualcos'altro?

💬 Sì, una macedonia e un caffè.

💬 Ci può portare il conto, per favore?

💬 Subito.

MI METTO ALLA PROVA

COMPLETA LA PAROLA

1. È la persona che serve ai tavoli: _ _ _ _ R _ _ _ _
2. La fai quando vuoi essere sicuro di trovare un tavolo libero al ristorante: P _ _ _ _ _ _ _ _ _ _
3. Lo mangi dopo il primo: _ _ _ _ _ _ O
4. Lo chiedi quando hai finito di mangiare e vuoi andare via: _ O _ _ _
5. È la carta dove sono scritti tutti i cibi che puoi mangiare in un ristorante: _ _ _ Ù
6. Lo mangi insieme al secondo: C _ _ _ _ _ _ _

METTI IN ORDINE IL DIALOGO

A. Cameriere mi può portare il conto?
B. Vorrei una pizza ai carciofi.
C. Cosa prende da bere?
D. In totale sono 20 euro.

E. Desidera qualcos'altro?
F. Vorrei una birra piccola.
G. Buongiorno, vuole ordinare?
H. Sì, un caffè normale.

| 1 ☐ | 2 ☐ | 3 ☐ | 4 ☐ | 5 ☐ | 6 ☐ | 7 ☐ | 8 ☐ |

CANCELLA LA PAROLA CHE NON È AL POSTO GIUSTO

PRIMI PIATTI	SECONDI PIATTI	DESSERT
Tagliatelle ai funghi	Pesce ai ferri	Macedonia di frutta
Lasagne alle verdure	Costata di maiale	Gelato al cioccolato
Insalata mista	Minestra di verdure	Torta di mele
Gnocchi al ragù	Braciola di vitello	Patate al forno

COME SI DICE...
... AL SUPERMERCATO

SARA FA LA SPESA AL SUPERMERCATO

💬 Mi scusi, **dov'è il reparto macelleria**?

🗨 È in fondo alla corsia, a destra.

💬 Mi scusi, **dov'è la frutta e la verdura**?

🗨 È vicino alla porta d'ingresso.

💬 Mi scusi, **avete lo zucchero** di canna?

🗨 Mi dispiace, lo abbiamo terminato. Lo trova la settimana prossima.

💬 Mi scusi, **quanto costa questo prodotto**? Non c'è scritto il prezzo.

🗨 Io non lo so. Deve chiedere al punto informazioni.

COME SI CHIAMA

Pacco di pasta

Latte

Vasetto di marmellata

Scatoletta di tonno

Scatola di biscotti

Barattolo di pelati

Confezione di carta igienica

Bottiglia di vino

SARA È AL REPARTO GASTRONOMIA

💬 **Buongiorno, vorrei due etti di prosciutto cotto.**

🗨 Lo vuole tagliato sottile?

💬 Sì, grazie.

💬 Vorrei **un pezzo di formaggio** parmigiano.

🗨 Quanto grande?

💬 Di tre etti circa.

💬 **Una mozzarella grande**, per favore.

🗨 Mozzarella di bufala?

💬 Sì, di bufala.

💬 Vorrei **un po' di lasagne** al forno.

🗨 Per quante persone?

💬 Per due persone.

COSA SIGNIFICA ·····································

Al reparto « GASTRONOMIA » puoi comprare:

● prosciutto, salame, mortadella, pancetta; sono cibi che vengono tagliati a fette e si chiamano "affettati";

● tutti i tipi di formaggio, come il parmigiano, il pecorino, il gorgonzola, la mozzarella;

● cibi già cotti, come le lasagne al forno, il pollo arrosto, l'arista di maiale, gli zucchini ripieni.

SARA È AL REPARTO FRUTTA E VERDURA

💬 Mi scusi, **posso servirmi da sola**?

🗨 No. Dica pure a me, la servo io.

💬 Vorrei **due chili di mele** e quattro banane.

🗨 Le banane le vuole molto mature?

💬 No, non tanto mature.

💬 Vorrei anche delle patate.

🗨 Quanti chili?

💬 Tre chili.

🗨 Vuole altro?

💬 Vorrei dell'insalata.

🗨 Di che tipo?

💬 **Insalata riccia**.

🗨 Quanta?

💬 **Due cespi**.

47

COME SI CHIAMA

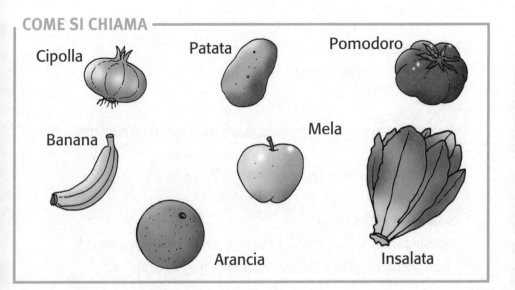

Cipolla

Patata

Pomodoro

Banana

Mela

Arancia

Insalata

SARA È AL REPARTO DEL PANE

💬 Mi scusi, c'è del pane senza sale?

🗨 Sì, c'è il pane toscano.

💬 Vorrei **un pezzo di pane toscano**.

🗨 Da un chilo o mezzo chilo?

💬 **Da mezzo chilo**.

🗨 Vuole altro?

💬 Vorrei anche due rosette.

💬 **Quanto costa la torta** di mele?

🗨 Quella grande costa 10 euro, quella piccola 6 euro.

💬 Prendo quella piccola.

💬 Vorrei della pizza con le cipolle, un pezzo piccolo.

🗨 Va bene questo pezzo da due etti?

💬 **Va bene**, grazie.

✓ Quando compri i cibi al supermercato sulle confezioni puoi trovare queste scritte:

Da consumarsi preferibilmente entro il 27/06/2013

Scade il 27/06/2013

Scadenza: 27/06/2013

Queste scritte indicano la data entro la quale devi consumare il prodotto. Dopo quella data il prodotto non è più buono.

INFO

SARA È AL REPARTO MACELLERIA

🗨 Buongiorno signora,
cosa desidera?

💬 **Vorrei due bistecche** di vitello.
Vorrei anche **delle fettine**.

🗨 Quante?

💬 **Quattro**, tagliate sottili, per piacere.

🗨 Va bene, signora.

🗨 Desidera qualcos'altro?

💬 Sì, **vorrei del petto di pollo**.
Quanto costa?

🗨 Costa 10 euro al chilo. Quanto ne vuole?

💬 **Tre etti circa**.

49

SARA È ALLA CASSA

💬 **Quanto spendo**?

🗨 In totale sono 72 euro. Vuole
qualche busta?

💬 No, grazie. Posso pagare con
la carta di credito?

🗨 Certo.

💬 Si è rotto il pacco della farina,
posso cambiarlo?

🗨 Non si preoccupi, lo cambio io.

✓ **I supermercati sono aperti dal lunedì al sabato. Di solito sono
aperti con orario continuato (restano aperti anche all'ora di pranzo)
dalle 8.30 alle 19.30.**

MI METTO ALLA PROVA

INSERISCI LA PAROLA GIUSTA

un chilo – un litro – un etto – cinque fette

Vorrei .... di mele.

Vorrei .... di prosciutto.

Vorrei .... di latte.

Vorrei .... di formaggio parmigiano.

Vorrei .... di vino.

Vorrei .... di pomodori.

Vorrei .... di pane.

CANCELLA LA PAROLA
CHE NON È AL POSTO GIUSTO

UN PACCO DI...	UN VASETTO DI...
Pasta	Marmellata
Caffè	Miele
Olio	Birra
Zucchero	Yogurt

UNA CONFEZIONE DI...	UNA BOTTIGLIA DI...
Carta igienica	Vino
Succo di frutta	Acqua
Detersivo	Sale
Salviette	Aranciata

VERO O FALSO?

	V	F
1 Per comprare del vino vado al reparto gastronomia.	☐	☐
2 Mi serve del pollo. Vado nel reparto macelleria.	☐	☐
3 Dove vendono il pane vendono anche la frutta.	☐	☐
4 Per pagare il prosciutto vado alla cassa.	☐	☐

COMPLETA CON LE PAROLE GIUSTE

reparto macelleria – reparto frutta e verdura
reparto pane e dolci – reparto gastronomia

1. Moar vuole comprare un pezzo di pizza.
   Deve andare al ....
2. Sara vuole comprare 3 etti di mozzarella e 2 etti di prosciutto crudo. Deve andare al ....
3. Sara deve comprare delle patate e dell'uva.
   Deve andare al ....
4. Moar deve comprare un chilo di carne macinata e 5 bistecche.
   Deve andare al ....

51

METTI IN ORDINE IL DIALOGO

A. Buongiorno, cosa desidera?
B. Serve qualcos'altro?
C. Vorrei del prosciutto cotto.
D. Due etti.

E. Deve pagare alla cassa.
F. Quanto ne vuole?
G. Sì, vorrei tre porzioni di gnocchi.
H. Quanto pago?

1 ☐ 2 ☐ 3 ☐ 4 ☐ 5 ☐ 6 ☐ 7 ☐ 8 ☐

COME SI DICE...

... AL MERCATO

MOAR CERCA UN PAIO DI PANTALONI

🗨 Buongiorno, posso aiutarla?
🗨 **Cerco un paio di pantaloni** neri.
🗨 Che taglia porta?
🗨 **Porto la 50**.

🗨 Quanto costano questi?
🗨 30 euro. Ma posso farle
   un po' di sconto.
🗨 **È possibile provare** i pantaloni?
🗨 Sì, venga dietro al banco.
   C'è una tenda.

🗨 Vanno bene i pantaloni?
🗨 No, **sono troppo piccoli**.
   Posso provare la taglia 52?
🗨 Mi dispiace, ma della taglia
   52 ho solo pantaloni grigi
   o marroni.
🗨 Allora niente. Arrivederci.

53

✓ Quando vai in un negozio per provare i vestiti devi conoscere
  la tua taglia, cioè la misura dei vestiti che porti.
✓ Le taglie dei vestiti da uomo sono: 44 (piccola) – 46 – 48 – 50
  (medie) – 52 – 54 (grandi) – 56 (molto grande).
✓ Le taglie dei vestiti da donna sono: 38 – 40 – 42 (piccole) – 44 –
  46 – 48 (medie) – 50 – 52 (grandi) – 54 (molto grande).
✓ Spesso i vestiti hanno la taglia indicata anche in un altro modo:
  S (piccola) – M (media) – L (grande) – XL (molto grande).

I N F O

SARA COMPRA UN MAGLIONE

🗨 Buongiorno, desidera?

💬 **Vorrei un maglione**.

🗨 Di che colore lo vuole?

💬 **Lo vorrei grigio** o bianco.

🗨 Che taglia porta?

💬 **Porto la 42**.

54

🗨 Ecco, questo è un maglione grigio a collo alto, molto bello. Va bene il collo alto?

💬 Sì. **Quanto costa**?

🗨 Costa 28 euro.

💬 **È caro**. È possibile avere un po' di **sconto**?

🗨 25 euro. Va bene?

💬 Va bene. **Posso cambiare il maglione** se non mi sta bene?

🗨 Sì, ma conservi lo scontrino.

✓ **Se vuoi cambiare un vestito che ha dei difetti o che non ti sta bene, devi riportare lo scontrino al venditore.**

INFO

MOAR CERCA UN PAIO DI SCARPE

💬 Mi scusi, **vorrei un paio di scarpe** da ginnastica.

🗨 Di che colore? Chiare o scure?

💬 Chiare.

🗨 Che numero porta?

💬 Il 45.

🗨 Ecco un 45. Lo provi.

🗨 Le stanno bene?

💬 Sì, benissimo. Quanto costano?

🗨 80 euro. Queste scarpe non sono a saldo.

💬 **Sono troppo care**. Ha un paio di scarpe più **economiche**?

🗨 Sì, ci sono altre scarpe a saldo, a 50 euro, ma ci sono solo nere.

💬 No grazie, le scarpe scure non mi piacciono.

COSA SIGNIFICA ·

« ECONOMICO/CONVENIENTE »
Costa pochi soldi.

« CARO »
Costa molti soldi.

« SCONTO »
Lo fa il venditore quando fa pagare meno un oggetto.

« SALDO »
Vendita di prodotti ad un prezzo più basso in un preciso periodo dell'anno.

MOAR È AL BANCO DEI CASALINGHI

💬 Mi scusi, **quanto costano questi bicchieri** di vetro?

🗨 Quanti ne vuole?

💬 Dieci o dodici.

🗨 Un pacco da sei bicchieri costa 5 euro.

💬 **Vorrei comprare** anche delle **pentole**, quanto costano?

🗨 Una batteria da cinque pentole di diversa misura costa 120 euro.

💬 **Di che materiale** sono fatte?

🗨 Di acciaio inox.

💬 **Mi fa un po' di sconto**?

🗨 Non posso. Questo è già un prezzo buonissimo.

56

💬 **Mi servono** anche **delle posate**.

🗨 Quante gliene servono?

💬 Mi servono 8 coltelli, 8 forchette e 8 cucchiai.

🗨 Ho un set di posate da 12 molto conveniente. Costa 15 euro.

💬 Va bene.

COME SI CHIAMA

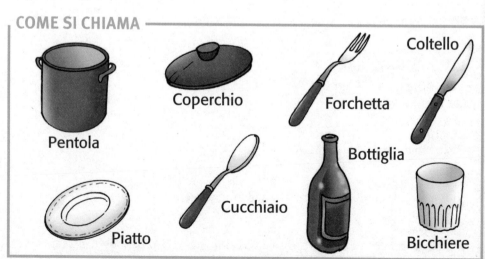

Coltello · Forchetta · Coperchio · Pentola · Bottiglia · Cucchiaio · Piatto · Bicchiere

SARA COMPRA
DELLA BIANCHERIA PER LA CASA

💬 Mi scusi, **quanto costa questa coperta** di lana?

💬 Questa è piccola, da una piazza. Costa 20 euro.

💬 E **quella grande** quanto costa?

💬 Quella grande, da due piazze, costa 25 euro.

💬 **Sono troppo care.**

💬 **Vorrei una tovaglia** di cotone da 6 persone.

💬 Come la vuole? In tinta unita?

💬 Sì. **La vorrei gialla.**

💬 Ecco una bella tovaglia gialla. È anche conveniente, costa solo 10 euro.

💬 **Va bene**, la compro.

57

💬 **Mi servirebbero degli asciugamani** per il bagno.

💬 Li vendiamo in coppia, uno grande e uno piccolo. Quanti ne vuole?

💬 **Due coppie.**

💬 Il colore?

💬 Una coppia bianca e una rosa.

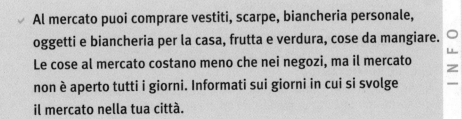

✓ Al mercato puoi comprare vestiti, scarpe, biancheria personale, oggetti e biancheria per la casa, frutta e verdura, cose da mangiare. Le cose al mercato costano meno che nei negozi, ma il mercato non è aperto tutti i giorni. Informati sui giorni in cui si svolge il mercato nella tua città.

INFO

MOAR COMPRA DA MANGIARE

💬 Mi scusi, quanto costa un pollo arrosto?

💬 Costa 5 euro.

💬 **Vorrei un pollo arrosto**, due porzioni di patatine fritte e del formaggio parmigiano.

💬 Quanti etti di parmigiano vuole?

💬 Tre etti.

💬 Ecco, sono tre etti precisi.

💬 Vorrei anche **due etti di prosciutto**.

💬 Cotto o crudo?

💬 Crudo.

💬 Vuole altro?

💬 No grazie, **quanto pago**?

💬 In tutto sono 18 euro.

💬 Posso pagare con la **carta di credito**?

💬 No. Accettiamo solo contanti.

COSA SIGNIFICA ·

« PAGARE IN CONTANTI »

Significa pagare con i soldi di carta e le monete. Nei negozi di solito puoi pagare anche con la carta di credito o con la carta bancomat.

MI METTO ALLA PROVA

ABBINA IL NUMERO ALLA LETTERA GIUSTA

1 MAGLIONE

2 PANTALONI

3 SCARPE DA GINNASTICA

4 BATTERIA DI PENTOLE

5 TOVAGLIA

6 POLLO ARROSTO

7 POSATE

A

B

C

D

E

F

G

1 ☐ 2 ☐ 3 ☐ 4 ☐ 5 ☐ 6 ☐ 7 ☐

59

SCEGLI LA RISPOSTA GIUSTA

1 Che taglia porta di vestito?
  ☐ Quella nera.
  ☐ Quella cara.
  ☐ La 44.

2 Le vanno bene le scarpe?
  ☐ Porto il numero 38.
  ☐ Sono troppo strette.
  ☐ Porto la taglia 48.

3 Come la vuole, la coperta?
  ☐ In acciaio inox.
  ☐ Da due coppie.
  ☐ Da una piazza.

4 Costa 55 euro. Va bene?
  ☐ No, è conveniente.
  ☐ No, è troppo chiaro.
  ☐ No, è troppo caro.

COME SI DICE...
... IN BANCA

MOAR CERCA UNA BANCA

🗨 Mi scusi, **c'è una banca qui vicino?**

🗨 Sì, ce ne sono molte. Quale banca cerca?

🗨 **Cerco** la Banca di Credito Cooperativo.

🗨 Alla fine della strada deve girare a destra. La banca è di fianco alla chiesa.

🗨 **Dove?** Scusi, ma **non ho capito**.

🗨 Sa dov'è la chiesa di Sant'Anna? La banca è lì accanto.

🗨 **Adesso ho capito.** Grazie.

61

🗨 Mi scusi, c'è **uno sportello bancomat** da queste parti?

🗨 Il più vicino è alla banca in centro, accanto al municipio.

I N F O

- ✓ Le banche sono aperte dal lunedì al venerdì.
- ✓ L'orario delle banche di solito è dalle 8.30 alle 13.30 e dalle 14.30 alle 15.30.
- ✓ Quando la banca è chiusa, puoi prelevare dei soldi allo sportello bancomat con la tessera bancomat.

MOAR VUOLE CAMBIARE UN ASSEGNO

🗨 Buongiorno, **vorrei cambiare questo assegno**.

🗨 Lei è cittadino straniero?

🗨 Sì.

🗨 Deve darmi un documento di identità, il codice fiscale e il suo permesso di soggiorno.

🗨 **Ecco i documenti**, vanno bene?

🗨 Sì. Ora deve fare una firma dietro l'assegno. Vanno bene tutti pezzi da 50 euro?

🗨 Sì, grazie.

🗨 Buongiorno, **è possibile cambiare** questo assegno **non trasferibile**?

🗨 È intestato a lei?

🗨 Sì.

🗨 Posso cambiarlo, ma adesso non ho in cassa 5000 euro. Può ripassare nel pomeriggio?

🗨 Sì. **A che ora**?

🗨 Siamo aperti dalle 14.30 alle 15.30.

🗨 Buongiorno, **mi può cambiare** questo assegno?

🗨 No, mi dispiace, questo assegno non è di questa banca.

🗨 **Come devo fare** allora?

🗨 Deve andare nella banca che è scritta sull'assegno.

MOAR DEVE FARE UN BONIFICO

💬 Buongiorno, **vorrei mandare dei soldi**
in una banca **all'estero**. È una banca
di Dakar, come posso fare?

💬 Deve fare un bonifico. Ha le coordinate
della banca dove vuole mandare i soldi?

💬 **Cosa sono le coordinate** della banca?

💬 Le coordinate sono i codici della banca.

💬 Che cosa serve poi?

💬 Servono il nome e l'indirizzo della banca,
il nome e il numero di conto corrente della persona alla quale vuole
mandare i soldi.

💬 **Basta così**?

💬 Mi deve portare anche un suo documento di identità, il codice fiscale
e il permesso di soggiorno, se è cittadino straniero.

💬 Va bene, torno domani.

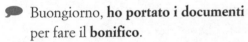

63

💬 Buongiorno, **ho portato i documenti**
per fare il **bonifico**.

💬 Bene. Deve riempire questo modulo.
Deve scrivere quanti euro manda,
a chi li manda e le coordinate
della banca.

💬 Cosa scrivo nella **causale**?

💬 Scriva solo "bonifico".

✓ **Ricordati che per fare un bonifico devi conoscere:**
   - **nome e cognome della persona a cui mandi i soldi e il suo numero
di conto corrente;**
   - **nome e indirizzo della banca a cui inviare i soldi;**
   - **coordinate della banca.**

✓ **Se mandi dei soldi in un Paese dove c'è l'euro, le coordinate della
banca sono il codice IBAN.**

MOAR VUOLE APRIRE UN CONTO CORRENTE

💬 Buongiorno, **vorrei aprire un conto corrente**.

💬 Per quale motivo vuole aprire il conto?

💬 Lavoro qui a Padova e **vorrei far versare il mio stipendio** sul conto corrente.

💬 Allora deve portare i suoi documenti e la busta paga.

💬 Quali documenti devo portare?

💬 Il permesso di soggiorno, un documento d'identità, il codice fiscale e il certificato di residenza.

💬 **Quanto devo spendere** per un conto corrente?

💬 Dipende dal tipo di conto corrente che sceglie.
Se fa poche operazioni, c'è un tipo di conto corrente con poche spese.

💬 **Cosa vuol dire** fare poche operazioni?

💬 Vuol dire che lei in un mese non mette o prende soldi dal suo conto più di dieci volte. Va bene per lei?

💬 Sì, va bene.

💬 Se domani porta i documenti, l'impiegato le apre subito il conto.

💬 **Come devo fare** per lo stipendio?

💬 Deve comunicare a chi le paga lo stipendio il numero del suo conto.

💬 E **per prelevare i soldi**?

💬 Le diamo un libretto degli assegni. Quando vuole, viene in banca e cambia un assegno, oppure fa un prelievo con la sua carta bancomat.

💬 Ho capito.

SAID DEVE CAMBIARE DEI SOLDI

💬 Buongiorno, **vorrei cambiare dei dollari** in euro, qual è il tasso di cambio?

🗨 Il tasso di cambio oggi è di 0,6415 dollari per un euro.

💬 **Non è un buon cambio**.

🗨 Mi dispiace, ma in questo periodo il dollaro è debole e l'euro è forte.

💬 **Quanto costa la commissione**?

🗨 Quanti dollari vuole cambiare?

💬 900 dollari.

🗨 La commissione è di 3 euro. Allora li cambia?

💬 No, **aspetto un cambio migliore**.

🗨 D'accordo. Arrivederci.

💬 Arrivederci.

65

COSA SIGNIFICA ······································

« CONTO CORRENTE »
È un conto personale dove puoi far versare il tuo stipendio, versare assegni o soldi in contanti, e da dove puoi prendere i soldi quando ti servono.

« COMMISSIONI »
Sono i soldi che devi pagare alla banca per il lavoro che fa per te, ad esempio fare un bonifico, gestire il tuo conto corrente, cambiare i soldi, e così via.

« BUSTA PAGA »
È il foglio che ti dà il tuo datore di lavoro ogni mese. Nella busta paga è scritto quanti soldi guadagni di stipendio e il tipo di contratto che hai.

« TASSO DI CAMBIO / CAMBIO »
È il prezzo al quale la moneta di uno Stato (valuta) può essere cambiata in quella di un altro Stato.

... IN BANCA

ABBINA IL NUMERO ALLA LETTERA GIUSTA

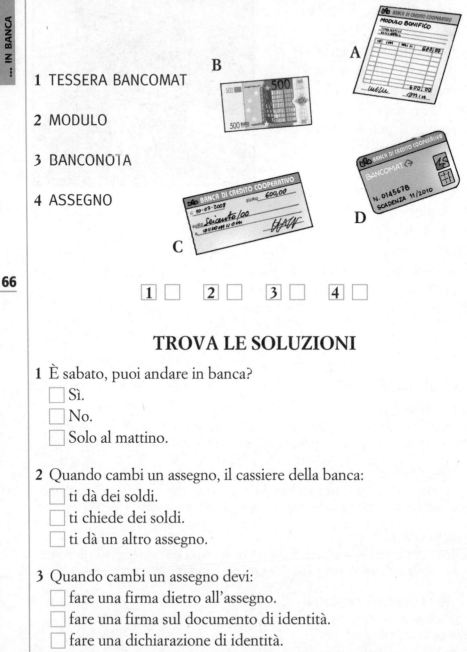

1 TESSERA BANCOMAT

2 MODULO

3 BANCONOTA

4 ASSEGNO

A

B

C

D

1 ☐   2 ☐   3 ☐   4 ☐

TROVA LE SOLUZIONI

1 È sabato, puoi andare in banca?
☐ Sì.
☐ No.
☐ Solo al mattino.

2 Quando cambi un assegno, il cassiere della banca:
☐ ti dà dei soldi.
☐ ti chiede dei soldi.
☐ ti dà un altro assegno.

3 Quando cambi un assegno devi:
☐ fare una firma dietro all'assegno.
☐ fare una firma sul documento di identità.
☐ fare una dichiarazione di identità.

GIOCHI DI PAROLE

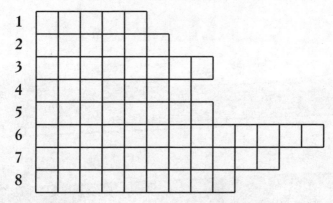

1 È il posto dove vai quando hai bisogno di soldi.
2 È il giorno in cui sono chiuse le banche.
3 Lo usi per prendere dei soldi dalla banca quando è chiusa.
4 È un foglio di carta, ma se vai in banca a cambiarlo ricevi dei soldi.
5 Lo fai in banca per spedire dei soldi all'estero.
6 Lo apri in banca quando vuoi versare il tuo stipendio.
7 Si chiamano così i soldi che paghi quanto la banca ti fa un servizio.
8 È un foglio in cui è scritto tutto ciò che riguarda il tuo stipendio mensile.

RIORDINA IL DIALOGO

A. La banca è aperta dalle 14.30 alle 15.30.
B. Per cambiare l'assegno deve avere un documento di identità, il codice fiscale e il permesso di soggiorno.
C. Grazie. Arrivederci.
D. Buongiorno, è possibile cambiare questo assegno?
E. Arrivederci.
F. Non ho il codice fiscale. Torno nel pomeriggio. Fino a che ora è aperta la banca?

COME SI DICE...
... ALLA POSTA

MOAR DEVE PAGARE DEI BOLLETTINI

💬 Mi scusi, **come devo fare** per pagare dei bollettini?

💬 Deve prendere un numero e attendere il suo turno allo sportello dei pagamenti.

💬 Buongiorno, **devo pagare** questa **bolletta della luce**.

💬 Il bollettino non è completo; deve scrivere il suo nome e cognome.

💬 **Devo pagare** anche questa **multa**. Cosa devo scrivere?

💬 Deve scrivere quanti euro deve pagare, in cifre e in lettere. In tutto sono 73,60 euro. Paga in contanti o con bancomat?

💬 **Pago in contanti**.

💬 Bene, ecco le sue ricevute.

💬 Grazie. Arrivederci.

✓ **Alla posta puoi fare molte operazioni:**

- spedire lettere raccomandate e pacchi;
- pagare le bollette (dell'acqua, della luce, del gas, del telefono)
- fare e riscuotere un vaglia postale per spedire dei soldi, in Italia e all'estero;
- aprire un conto corrente postale o un libretto postale;
- chiedere un prestito.

INFO

MOAR DEVE FARE UNA RACCOMANDATA E SPEDIRE UN PACCO

🗨 **Vorrei spedire** questa lettera **raccomandata**.

🗨 Con ricevuta di ritorno o senza?

🗨 Con **ricevuta di ritorno**.

🗨 Compili questo modulo. Deve scrivere il nome, l'indirizzo del destinatario e del mittente, cioè il suo.

🗨 **Va bene così?**

🗨 No, deve compilare anche la ricevuta di ritorno.

🗨 **Che cosa devo scrivere?**

🗨 Il suo nome e indirizzo.

🗨 Buongiorno, **cosa devo fare** per **spedire questo pacco** all'estero?

🗨 Deve avere il codice fiscale e un documento d'identità. Poi deve compilare questo modulo dove dichiara che cosa contiene il pacco.

🗨 **Quanto costa la spedizione?**

🗨 Dipende dal peso e dalle dimensioni del pacco.

MOAR DEVE SPEDIRE DEI SOLDI

💬 Buongiorno, **vorrei spedire dei soldi**. Cosa devo fare?

💬 Se vuole mandare dei soldi in Italia deve fare un vaglia postale.
Se vuole mandare dei soldi all'estero deve fare una spedizione con MoneyGram o Eurogiro.

💬 **Che cosa serve per fare un vaglia postale?**

💬 Deve avere un documento d'identità, il codice fiscale e i soldi in contanti.

💬 **Quanto costa la commissione?**

💬 Circa 10 euro.

💬 **Devo compilare un modulo?**

💬 Sì, deve compilare questo modulo e deve firmare.

💬 Ecco, va bene?

💬 Mi deve anche dare un numero di telefono. Se ci sono problemi con la spedizione, la chiamo.

💬 Buongiorno, **devo ritirare dei soldi con un MoneyGram**.

💬 Ha il numero di riferimento della spedizione?

💬 Sì.

💬 Bene. Mi deve dare anche il suo codice fiscale e un documento di identità.

💬 **La mia carta di identità è scaduta** un mese fa.
Va bene lo stesso?

💬 No, mi dispiace, se non ha un documento valido, non posso darle i soldi.

71

SARA VUOLE APRIRE
UN CONTO CORRENTE POSTALE

💬 Buongiorno, **vorrei aprire un conto corrente postale**. Cosa devo fare?

💬 Deve venire qui con il codice fiscale, un documento d'identità e il certificato di residenza o domicilio.

💬 Ci sono delle **spese di gestione** per il conto corrente?

💬 Sì.

💬 Posso avere il **bancomat** e il **libretto degli assegni**?

💬 Sì. Con il conto corrente può avere la tessera postamat e il libretto degli assegni.

💬 Posso **fare i bonifici**?

💬 Sì, certamente.

✓ **Se non capisci bene l'italiano e vuoi aprire un conto corrente postale, fatti accompagnare da un parente o un amico.**

✓ **L'impiegato della posta non può aprirti un conto corrente se non è sicuro che hai capito bene tutte le informazioni.**

INFO

SARA VUOLE APRIRE
UN LIBRETTO POSTALE

💬 Buongiorno, **vorrei aprire un libretto postale**.

🔍 Servono il codice fiscale e un documento d'identità.

💬 Ci sono spese di gestione?

🔍 No, non ci sono spese di gestione.

💬 **Quali operazioni** posso fare con il libretto postale?

🔍 Può solo depositare e prelevare i soldi.

💬 Posso avere la tessera postamat?

🔍 No, con il libretto non possiamo dare la tessera postamat.

COSA SIGNIFICA ·

« MITTENTE »
È la persona che spedisce una lettera, un pacco, dei soldi.

« DESTINATARIO »
È la persona che riceve una lettera, un pacco, dei soldi.

« SPESE DI GESTIONE »
Sono i soldi che paghi alla posta per avere e usare il conto corrente.

« TESSERA POSTAMAT »
È la tessera con cui puoi prelevare i soldi dagli sportelli postamat.

73

COME SI CHIAMA

Tessera postamat

Libretto postale

Libretto degli assegni

SAID DEVE RINNOVARE
IL PERMESSO DI SOGGIORNO

74

💬 Buongiorno, **devo rinnovare il permesso di soggiorno**. Cosa devo fare?

💬 È lei la persona che deve rinnovare il permesso di soggiorno?

💬 Sì.

💬 Deve compilare tutti i moduli che sono dentro a questa busta e pagare il bollettino postale.

💬 **Mi può aiutare a compilare i moduli?**

💬 No. Deve andare al sindacato.

💬 **Dove consegno i moduli** per il permesso di soggiorno?

💬 Deve consegnare i moduli qui alla posta.

💬 E **dove ritiro il permesso di soggiorno**?

💬 Quando il permesso di soggiorno è pronto, le inviamo una lettera raccomandata a casa con la data dell'appuntamento per presentarsi in Questura.

✓ Se devi fare o rinnovare il permesso di soggiorno, devi andare tu alla posta a ritirare i moduli, non puoi mandare un parente o un amico.

✓ Se tuo figlio deve fare o rinnovare il permesso di soggiorno devi andare alla posta con lui. L'impiegato della posta dà i moduli solo alla persona che ha bisogno del permesso di soggiorno.

INFO

MI METTO ALLA PROVA

METTI IN ORDINE LE LETTERE E SCOPRI LA PAROLA GIUSTA

1 Vado alla posta per pagare le TELLETOB.
2 Per pagare bisogna prendere un numero e aspettare il proprio RUTON.
3 Quando spedisco dei documenti, faccio una lettera MORTACCANADA.
4 Per spedire un pacco all'estero devo avere il CEDICO SCAFILE.
5 Se voglio mettere dei soldi alla posta posso aprire un TOCON RRECONTE.
6 Se non voglio pagare spese di gestione posso aprire un TIBROTLE postale.

1 .... 2 .... 3 ....
4 .... 5 .... 6 ....

COLLEGA LE FRASI

1. Spedisco un pacco.
2. Spedisco dei soldi.
3. Apro un conto corrente postale.
4. Apro un libretto postale.
5. Rinnovo il permesso di soggiorno.
6. Faccio una raccomandata.

A. Chiedo la tessera postamat.
B. Non pago le spese di gestione.
C. Pago la spedizione.
D. Prendo i moduli alla posta.
E. Compilo il modulo.
F. Faccio un vaglia postale.

1 ☐ 2 ☐ 3 ☐ 4 ☐ 5 ☐ 6 ☐

COME SI DICE...
... DAL MECCANICO

MOAR HA UN'EMERGENZA

💬 Mi scusi, dove si trova un'**autofficina**? La mia macchina si **è fermata** e non parte.

💬 C'è un meccanico su questa strada, subito prima di arrivare in città.

💬 **È lontano**? Posso andare a piedi?

💬 No, non può andare a piedi. Se vuole le dò un passaggio.

💬 Grazie.

77

💬 Salve, ho l'**auto ferma** per strada, può aiutarmi?

💬 Prendo il carro attrezzi e andiamo subito a recuperarla.

💬 **Può far ripartire l'auto** per arrivare fino a casa? Devo percorrere ancora 60 Km.

💬 Mi dispiace, ma la sua auto ha problemi al motore, non può usarla.

💬 Quanto tempo ci vuole per **ripararla**?

💬 Un giorno o due.

💬 Mi può dire **quanto spenderò**, più o meno?

💬 Sì, ci vorranno circa 400 euro.

MOAR DEVE CONTROLLARE L'AUTO

FARE IL TAGLIANDO

🗨 Buongiorno, vorrei **controllare l'auto**.

🗨 Deve fare il tagliando o la revisione?

🗨 **Devo fare il tagliando**, c'è tanto lavoro da fare?

🗨 Per fare il tagliando devo cambiare l'olio e i filtri, devo controllare l'acqua e le cinghie di distribuzione.

🗨 Quanto tempo ci vuole per il lavoro?

🗨 Un giorno.

🗨 Mi può fare un **preventivo** della spesa?

🗨 Il costo può variare tra i 200 e i 300 euro, dipende se ci sono pezzi da cambiare.

🗨 Mi può fare anche il **bollino blu**?

🗨 Certo!

FARE LA REVISIONE

🗨 Buongiorno, devo **fare la revisione** dell'auto.

🗨 È nuova la sua auto? Quando l'ha comprata?

🗨 **Quattro anni fa**.

🗨 Può portarmi la macchina giovedì mattina, verso le dieci?

🗨 Va bene! Quanto tempo ci vuole per fare la revisione?

🗨 Circa un'ora.

SAID DEVE RIPARARE L'AUTO

FAR RIPARARE L'AUTO DAL MECCANICO

- Buongiorno, **questa macchina ha dei problemi**.
- Che problemi ha?
- **Il motore fa uno strano rumore**. Inoltre, quando la macchina è ferma, perde olio.
- Può lasciarmi l'auto per qualche giorno?
- Ha **un'auto sostitutiva**?
- Sì, ho una Fiat Punto che le posso lasciare fino a che non è pronta la sua.
- Mi può fare un **preventivo della spesa**?
- Prima devo vedere quanto lavoro c'è da fare. Ripassi domani e le dirò quanto deve spendere.

79

COSA SIGNIFICA

« REVISIONE »
È un controllo generale dell'auto che tutti gli automobilisti sono obbligati a fare. Quando compri un'auto nuova, devi fare la prima revisione dopo quattro anni. Se hai un'auto vecchia devi fare la revisione ogni due anni.

« TAGLIANDO »
È un controllo dell'auto che ogni automobilista dovrebbe fare ogni 15.000 km percorsi. Non è obbligatorio fare il tagliando, ma è bene farlo perché l'auto funzioni bene e sia sicura.

« BOLLINO BLU »
È un bollino di colore blu che si attacca al parabrezza dell'auto e indica che sei andato dal meccanico a far controllare i fumi di scarico della tua auto. Per fare il bollino blu devi pagare circa 15 euro. In alcune città italiane è obbligatorio avere il bollino blu per andare in centro con la macchina.

FAR RIPARARE L'AUTO DALL'ELETTRAUTO

💬 Buongiorno, ho un problema con l'**impianto elettrico** dell'auto.

💬 Che problemi ha?

💬 Non funziona bene **il motorino di avviamento**.

💬 Da quanto tempo ha questo problema?

💬 **Da qualche giorno**.

💬 È la prima volta che l'auto ha questi problemi?

💬 No, **mi è già successo** l'anno scorso.

💬 Oggi non posso controllare l'impianto, può ripassare domani mattina alle nove?

💬 Va bene.

FAR RIPARARE L'AUTO DAL CARROZZIERE

💬 Buongiorno, ho avuto **un incidente** e vorrei far riparare i danni. Mi può fare **un preventivo**? **Quanto mi costerà**?

💬 Non ci sono molti danni, ma bisogna riverniciare lo sportello posteriore. Ci vorranno circa 1000 euro.

💬 **Quanto tempo ci vorrà?**

💬 Una settimana.

💬 Va bene. Grazie, arrivederci.

COSA SIGNIFICA ·····························

« MECCANICO »
È la persona che ripara l'auto se ha problemi al motore o alle parti meccaniche.

« ELETTRAUTO »
È la persona che ripara l'auto se ha problemi all'impianto elettrico.

« CARROZZIERE »
È la persona che ripara l'auto se ha dei danni nelle parti esterne.

MI METTO ALLA PROVA
COMPLETA I DIALOGHI
CON LE PAROLE GIUSTE

lunedì – incidente – revisione –
meccanico – auto sostitutiva – carro attrezzi

1. A: Mi scusi, c'è un .... qui vicino?
   Mi si è fermata l'auto.
   B: Sì, c'è un meccanico che ha il ....
   A: Mi può dare un passaggio?
   B: Certo!

2. A: Buongiorno, dovrei controllare l'auto.
   B: Deve fare la .... o il tagliando?
   A: Il tagliando.
   B: Oggi non riesco a fare il lavoro, possiamo prendere
      un appuntamento per .... prossimo?
   A: Va bene.

3. A: Buongiorno, ho avuto un .... e devo
      far riparare l'auto.
   B: Ci vorranno circa tre giorni per riparare l'auto.
   A: Ha un'.. da darmi?
   B: Certo. La può tenere fino a quando la sua auto è pronta.

TROVA L'ESPERTO GIUSTO

1. Si è rotto il motore dell'auto.
   Moar deve andare dal ....

2. Si è rotto uno sportello dell'auto.
   Moar deve andare dal ....

3. Si è scaricata la batteria dell'auto.
   Moar deve andare dall'............

A. carrozziere
B. elettrauto
C. benzinaio
D. meccanico
E. ingegnere

1 ☐   2 ☐   3 ☐

81

COME SI DICE...
... IN FARMACIA

SAID CERCA UNA FARMACIA

🗨 Scusi, **dov'è una farmacia**?
🗨 Si trova alla fine della strada, dove c'è l'insegna di una croce verde.
🗨 Grazie, arrivederci.

🗨 Mi scusi, **c'è una farmacia aperta di notte**?
🗨 Sì, c'è, ma non so quale farmacia è di turno questa notte.
🗨 Come posso fare per sapere **qual è la farmacia di turno**?
🗨 Deve andare alla farmacia più vicina. Accanto alla porta ci trova un foglio con i turni di tutte le farmacie della città e può vedere quale farmacia è aperta questa notte.
🗨 Grazie mille.

83

COSA SIGNIFICA ·

« CROCE VERDE »
È l'insegna che vedi per strada, all'esterno di un negozio, che indica che lì c'è una farmacia.

« FARMACIA DI TURNO »
È la farmacia aperta quando tutte le altre sono chiuse. C'è una farmacia di turno per la notte e per la domenica.

« MEDICINALE DI AUTOMEDICAZIONE »
È una medicina che puoi comprare liberamente, senza la ricetta del medico, per curare dolori e piccoli disturbi.

SAID COMPRA DELLE MEDICINE

COMPRARE LE MEDICINE CON LA RICETTA

💬 Buongiorno, **vorrei le medicine scritte in queste ricette.**

🗨 Va bene.

💬 **Sono tutte mutuabili?**

🗨 Due farmaci sono mutuabili e non paga nulla, un farmaco invece non è mutuabile e lo deve pagare per intero.

💬 Mi può scrivere sulle scatole **quante medicine devo prendere al giorno?**

🗨 Sì, deve prendere una compressa due volte al giorno, dopo i pasti, e 10 gocce e un cucchiaino di sciroppo tutte le sere, prima di andare a dormire.

84

COSA SIGNIFICA ·

« FARMACO MUTUABILE »

È un farmaco che compri senza pagare, perché lo paga il Servizio Sanitario Nazionale. Per comprare un farmaco mutuabile devi avere un tipo particolare di ricetta, fatta dal tuo medico.

· ·

COMPRARE LE MEDICINE SENZA RICETTA

🗪 Mi scusi, **vorrei qualcosa per il mal di gola**.

🗪 Posso darle uno spray o delle caramelle disinfettanti. Cosa preferisce?

🗪 **Preferisco le caramelle**.

🗪 Vanno bene al gusto di limone?

🗪 Sì. Ho anche **la febbre e male alle ossa**, posso avere **un antibiotico**?

🗪 No, mi dispiace, può comprare un antibiotico solo con la ricetta del medico.

🗪 **Mi dà** anche **un termometro**, per favore?

🗪 Eccolo.

🗪 **Ho un forte mal di denti**, cosa posso prendere?

🗪 Può prendere un antinfiammatorio e antidolorifico.

🗪 **Ci sono controindicazioni**?

🗪 Può fare un po' male allo stomaco. Lo prenda sempre a stomaco pieno.

🗪 Ho capito, grazie.

85

COME SI CHIAMA

Gocce

Spray

Supposte

Pomata

Compresse

Sciroppo

SAID SI È FATTO MALE

💬 Buongiorno, sono caduto dal motorino e ho alcune ferite. **Può medicarmi?**

🗨 Certo. Le fanno molto male le ferite?

💬 Sì, **le ferite mi bruciano.**

🗨 Domani deve togliere le fasce e medicare di nuovo la ferita, come ho fatto io.

💬 **Che cosa mi serve per medicare la ferita?**

🗨 Ecco, le servono queste cose:
  – un liquido per disin-
    fettare;
  – una pomata per
    aiutare la guarigione
    delle ferite;
  – delle garze per co-
    prire le ferite e del
    cerotto per fissare le
    garze;
  – delle fasce per co-
    prire bene tutto.

💬 E **se le ferite mi fanno molto male**, cosa faccio?

🗨 Prenda un antidolorifico. Ma già domani non avrà più dolore.

💬 Può darmi **qualcosa per dormire?**

🗨 Posso darle delle gocce omeopatiche, a base di erbe.

💬 **Fanno bene?**

🗨 Sì, fanno molto bene.

💬 Quanto costano?

🗨 Sono un po' care. Costano 18 euro.

💬 Costano troppo, preferisco non comprarle.

MI METTO ALLA PROVA

COMPLETA LE FRASI CON LA PAROLA GIUSTA

termometro – spray – cerotto – pomata – gocce

1. Mi sono tagliato, ho bisogno di un ....

2. Ho male agli occhi, devo mettere le ....

3. Devo misurare la febbre, mi serve il ....

4. Mi ha punto una zanzara, devo mettere un po' di ....

5. Ho mal di gola, vado in farmacia a comprare uno ....

87

TROVA LE SOLUZIONI

1 Perché vai in farmacia?
- ☐ Per comprare le medicine.
- ☐ Per trovare un medico.
- ☐ Per avere le ricette mediche.

2 Cosa puoi comprare in farmacia?
- ☐ Solo le medicine.
- ☐ Solo le medicine scritte nelle ricette.
- ☐ Le medicine e altri prodotti per la salute.

3 Cos'è un farmaco mutuabile?
- ☐ Una medicina che compro senza la ricetta.
- ☐ Una medicina che non devo pagare.
- ☐ Una medicina speciale.

4 Cosa devi fare per comprare un antibiotico?
- ☐ Andare in farmacia con la ricetta del medico.
- ☐ Andare in farmacia con il codice fiscale.
- ☐ Andare in farmacia e farmi scrivere la ricetta.

COME SI DICE...
... AL PRONTO SOCCORSO

MOAR SI È FATTO MALE A UN PIEDE

- Sono caduto dalle scale e **vorrei essere visitato**.
- Cosa si sente?
- **Ho il piede gonfio e mi fa molto male.**
- Ha la tessera sanitaria o il tesserino S.T.P.?
- **Ho la tessera sanitaria.**
- Mi può dire il suo nome e cognome, la data di nascita e l'indirizzo?
- **Mi chiamo Moar Djré**, sono nato a Dakar il 23 marzo 1975. Abito in Piazza Mazzini al numero 2, a Mestre.
- Questo è il numero con cui la chiamiamo. Si sieda, quando è il suo turno il medico la visita.

- Buongiorno, cosa le è successo?
- Sono caduto e **mi fa molto male il piede destro**.
- Dobbiamo fare una radiografia e poi portarla nel reparto ortopedia per una visita specialistica.
- **Devo pagare la visita e la radiografia?**
- Il suo tipo di problema è un codice giallo, non deve pagare nessun ticket.

89

COME SI CHIAMA

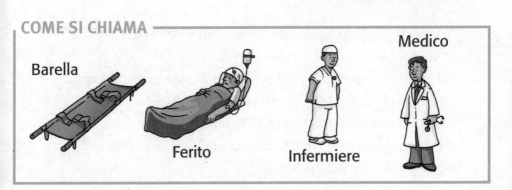

Barella

Ferito

Infermiere

Medico

SARA HA MAL DI PANCIA

🗨 Buongiorno signora, che
problemi ha?

💬 **Ho** un forte **mal di pancia**
da due giorni.

🗨 Si accomodi, fra un po' la chia-
meremo con il numero 18.

💬 **Devo aspettare tanto?**

🗨 Non tanto, circa mezz'ora.

🗨 Che problemi ha?

💬 Ho mal di pancia da due giorni.

🗨 Ha febbre?

💬 No.

90

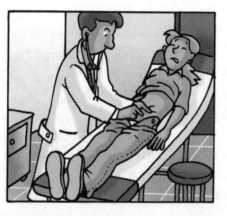

🗨 Le fa più male qui, in alto a destra, o qui a sinistra?

💬 **In alto a destra.**

🗨 Bene, adesso facciamo un prelievo di sangue. Dobbiamo vedere come va il suo fegato.

💬 **Devo essere ricoverata?**

🗨 Non credo, comunque aspet-
tiamo i risultati degli esami del
sangue.

✓ In Italia tutti hanno diritto ad essere curati e assistiti, anche
i cittadini che non sono regolari.

✓ Quando vai al pronto soccorso devi avere la tessera sanitaria oppure
l'S.T.P., un tesserino che i centri sanitari italiani rilasciano
allo Straniero Temporaneamente Presente.

✓ Se sei un turista devi avere la carta verde che devi aver fatto
nei centri sanitari del tuo Paese.

INFO

COSA SIGNIFICA

Quando arrivi al pronto soccorso l'infermiere stabilisce se il tuo problema è grave oppure no. Ti assegna un codice che può essere di diverso colore:

● **CODICE ROSSO**	Problema molto grave	Devi essere subito visitato	Non devi pagare il ticket
○ **CODICE GIALLO**	Problema grave	Puoi aspettare 10-15 minuti	Non devi pagare il ticket
● **CODICE VERDE**	Problema abbastanza grave	Puoi aspettare anche più di un'ora	Non devi pagare il ticket
○ **CODICE BIANCO**	Problema non grave	Puoi aspettare anche alcune ore	Devi pagare il ticket

COME SI CHIAMA

Ho mal di testa

Ho mal di pancia

Ho mal di denti

Ho la febbre alta

Mi sono ustionata

Mi fanno male gli occhi

Mi fa male la gamba destra

Ho mal di orecchi

Mi fa male il braccio sinistro

SAID CHIAMA IL 118

💬 Pronto, mia moglie ha battuto la testa. **Può venire un'ambulanza** per portarla in ospedale?

💬 Ci può descrivere le condizioni di sua moglie? È svenuta o è sveglia?

92

💬 **È svenuta** e ha una ferita in testa. **Perde molto sangue.**

💬 Stia tranquillo, tamponi la ferita con uno straccio pulito.

💬 Sì, ma mia moglie sta male, **fate presto.**

💬 Qual è il suo nome e cognome?

💬 Mi chiamo Said Bousba.

💬 Qual è l'indirizzo?

💬 Abitiamo in via Turati 7, a Mestre.

💬 Mi può lasciare il suo numero di telefono?

💬 Sì, 348 55223341. **Fra quanto tempo arriva** l'ambulanza?

💬 L'ambulanza arriva fra 10 minuti. C'è anche un medico.

💬 Va bene. Grazie.

✓ Quando una persona si fa male e non puoi portarla tu al pronto soccorso, telefona al 118.

✓ Il 118 è un numero di pronto soccorso che puoi usare in tutta Italia.

✓ Il pronto soccorso ti manda un'ambulanza con un medico che valuta la gravità della situazione, presta le prime cure alla persona ferita e l'accompagna in ospedale.

INFO

... AL PRONTO SOCCORSO

MI METTO ALLA PROVA

ABBINA LE IMMAGINI ALLA FRASE GIUSTA

1 Mi sono rotta la gamba.

2 Mi sono ustionata la mano.

3 Mi fanno male i denti.

4 Ho la febbre alta.

5 Ho mal di pancia.

1 ☐ 2 ☐ 3 ☐ 4 ☐ 5 ☐

METTI IN ORDINE IL DIALOGO

A. Questo è il suo numero, attenda di essere chiamata.

B. Ho mal di denti.

C. Da due giorni.

D. Devo aspettare tanto?

E. Sì.

F. Buongiorno signora, che problemi ha?

G. Da quanto tempo ha mal di denti?

H. Ha febbre?

I. Deve aspettare circa due ore: il suo problema non è grave.

1 ☐ 2 ☐ 3 ☐ 4 ☐ 5 ☐

6 ☐ 7 ☐ 8 ☐ 9 ☐

COME SI DICE…
… IN QUESTURA

HASSAN CHIEDE IL PERMESSO DI SOGGIORNO

💬 Buongiorno, **mio fratello deve richiedere** il permesso di soggiorno, **dove deve andare**?

💬 Deve andare all'Ufficio Immigrazione, è il primo ufficio che trova sulla sinistra. Deve prendere il numero e attendere il suo turno.

💬 Mi scusi, **devo richiedere** il permesso di soggiorno. Cosa devo fare?

💬 Deve riempire questo modulo e riconsegnarlo qui, all'Ufficio Immigrazione. Per quale motivo è in Italia?

95

💬 **Sono in Italia in cerca di lavoro**.

💬 Si è già iscritto nelle liste del Centro per l'impiego?

💬 **Sì, mi sono iscritto ieri**.

💬 Allora deve allegare al modulo anche l'iscrizione alle liste del Centro per l'impiego, il passaporto, il visto e quattro fototessera.

💬 **Devo pagare** per avere il permesso di soggiorno?

💬 Deve allegare ai documenti una marca da bollo da 14,62 euro.

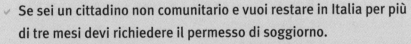

✓ **Se sei un cittadino non comunitario e vuoi restare in Italia per più di tre mesi devi richiedere il permesso di soggiorno.**

✓ **Se è la prima volta che vieni in Italia hai tempo 8 giorni per andare in questura e chiedere il permesso di soggiorno.**

✓ **Il permesso di soggiorno può essere valido per sei mesi, per un anno o per due anni, dipende dal motivo per cui sei venuto in Italia.**

INFO

MOAR DEVE RINNOVARE
IL PERMESSO DI SOGGIORNO

🗨 Buongiorno, volevo sapere **cosa devo fare per rinnovare il permesso di soggiorno**.

🗨 Che validità ha il suo permesso di soggiorno?

🗨 **Vale due anni**.

🗨 È già scaduto?

🗨 **No. Scade il prossimo anno**.

🗨 Deve ritirare il modulo per il rinnovo qui, all'Ufficio Immigrazione, poi deve compilare il modulo e presentare la richiesta 90 giorni prima della data di scadenza del suo permesso.

🗨 **Quali documenti servono** per il rinnovo del permesso di soggiorno?

🗨 Quando presenta la richiesta deve esibire il passaporto e allegare alla richiesta una copia del passaporto.

🗨 **Bisogna pagare per il rinnovo?**

🗨 Deve pagare un bollettino e una marca da bollo.

🗨 **Quanto devo pagare?**

🗨 È tutto scritto nel modulo.

SARA DENUNCIA IL FURTO DELLA BORSA

🗨 Buongiorno, **vorrei denunciare il furto della mia borsa**. Dove devo andare?

🗨 Deve andare all'Ufficio Denunce.

🗨 Buongiorno, devo denunciare il furto della mia borsa.

🗨 Ha un documento con sé?

🗨 **No**, avevo tutti i documenti dentro la borsa e ora **non ho più nulla**.

🗨 Di che nazionalità è?

🗨 **Sono italiana**.

🗨 Compili questo modulo con il suo nome e cognome, data di nascita, luogo, paternità e maternità.

🗨 Mi può descrivere quello che è successo?

🗨 Ero sull'autobus numero 5 in direzione della stazione ferroviaria, stavo andando a Venezia. Mi sono sentita spingere e dopo un po' **mi sono accorta che non avevo più la borsa**.

🗨 Ha qualche sospetto su qualcuno? Le è sembrato che qualcuno la seguisse?

🗨 No, **non ho sospetti**.

🗨 Si ricorda che ore erano?

🗨 Sono salita sull'autobus verso le 16.30.

🗨 Firmi qui. C'è scritto quello che lei ha dichiarato. Con questa denuncia può richiedere una nuova copia di tutti i suoi documenti.

MOAR DENUNCIA
LO SMARRIMENTO DELLA PATENTE

98

💬 Mi scusi, **vorrei denunciare lo smarrimento della patente di guida**.

💬 Ha un documento?

💬 Sì, ho la carta d'identità.

💬 È una patente italiana o straniera?

💬 È una patente italiana.

💬 Dov'era quando ha perso la patente?

💬 **Non ricordo bene**, forse ero al supermercato.

💬 Forse qualcuno le ha rubato la patente?

💬 **No, non credo**.

💬 Firmi il verbale per confermare la denuncia.

💬 Va bene. **Posso circolare lo stesso con l'auto**?

💬 Le diamo un permesso provvisorio di guida. Con il permesso provvisorio può circolare fino a quando non le arriva la nuova patente.

SAID SI INFORMA
SUL RICONGIUNGIMENTO FAMILIARE

💬 Buongiorno, **in quale ufficio devo andare** per avere informazioni sul ricongiungimento familiare?

🗨 Deve andare all'Ufficio Immigrazione.

💬 Buongiorno, **io vorrei far venire in Italia i miei genitori**. Cosa devo fare?

🗨 Quanto è valido il suo permesso di soggiorno?

💬 **Un anno**.

🗨 Allora va bene, può fare la domanda. Deve compilare questi moduli e seguire le indicazioni che ci sono scritte.

💬 **Basta il permesso di soggiorno**?

🗨 No, deve allegare anche un certificato con il suo reddito annuo, cioè quello che lei guadagna in un anno, il certificato sullo stato del suo alloggio e i certificati dei suoi genitori.

💬 **Mi può scrivere i documenti che devo allegare**, per favore?

🗨 L'elenco dei documenti che deve allegare è scritto nei moduli.

💬 Mi scusi, **cosa devono fare** i miei genitori **appena arrivano** in Italia?

🗨 Entro 8 giorni da quando arrivano in Italia devono venire in questura per richiedere il permesso di soggiorno.

99

✓ **Se sei un cittadino non comunitario e hai un permesso di soggiorno che vale meno di un anno, non puoi fare domanda di ricongiungimento familiare.**

INFO

MOAR VUOLE OSPITARE UN AMICO

💬 Mi scusi, **un mio amico resterà a casa mia per un po'**, cosa devo fare?

💬 Deve fare la dichiarazione di ospitalità. Di che nazionalità è il suo ospite?

💬 **È senegalese**.

💬 Da quanto tempo è arrivato in Italia?

💬 **È arrivato ieri**.

💬 Entro domani deve tornare in questo ufficio e portare la sua carta d'identità e una copia del contratto d'affitto del suo appartamento.

💬 **Deve venire con me** anche il mio amico?

💬 Sì, deve venire anche il suo amico e presentare il suo visto.
Quanto tempo si ferma in Italia il suo amico?

💬 **Si ferma quattro mesi**.

💬 Allora il suo amico deve fare richiesta di permesso di soggiorno entro 8 giorni.

💬 **In che giorni è aperto l'Ufficio Immigrazione?**

💬 È aperto dal lunedì al venerdì, dalle 8.30 alle 12.30.

MI METTO ALLA PROVA

COSA SIGNIFICA?

1. Rinnovare
2. Allegare
3. Scaduto
4. Esibire

A. È un documento che non può più essere usato.
B. Chiedere di poter continuare a usare un documento.
C. Mostrare un documento.
D. Mettere insieme a un documento altri documenti.

1 ☐   2 ☐   3 ☐   4 ☐

TROVA LE SOLUZIONI

1 Ti hanno rubato il portafoglio in treno, cosa dici all'impiegato?
   ☐ Vorrei denunciare lo smarrimento del portafoglio.
   ☐ Aiuto, mi hanno rubato il portafoglio.
   ☐ Vorrei denunciare il furto del portafoglio.

2 Un amico è venuto in Italia e starà a casa tua per un po' di tempo.
   Cosa chiedi all'impiegato?
   ☐ Vorrei sapere cosa devo fare per poter ospitare un amico.
   ☐ Devo pagare per ospitare un mio amico?
   ☐ Per quanto tempo può restare il mio amico in Italia?

METTI IN ORDINE IL DIALOGO

A. Allora domani vengo con i documenti. A che ora è aperto l'ufficio?
B. Quali documenti devo portare?
C. L'ufficio è aperto dalle 8.30 alle 12.30.
D. Deve presentare domanda di rinnovo all'ufficio immigrazione.
E. Buongiorno, cosa devo fare per rinnovare il permesso di soggiorno?
F. Deve portare una copia del passaporto e i moduli compilati.

1 ☐   2 ☐   3 ☐   4 ☐   5 ☐   6 ☐

COME SI DICE...
... IN COMUNE

HASSAN DEVE ISCRIVERSI ALL'ANAGRAFE

CHIEDERE INFORMAZIONI SUGLI UFFICI DEL COMUNE

💬 Buongiorno, sono cittadino straniero e **devo fare l'iscrizione anagrafica**, dove devo andare?

💬 Deve andare all'Ufficio Anagrafe.

💬 **Devo mettermi in fila?**

💬 Deve prendere il numero e aspettare di essere chiamato.

103

CHIEDERE L'ISCRIZIONE ALL'ANAGRAFE

💬 Buongiorno, **devo fare l'iscrizione anagrafica**. Sono cittadino straniero, sono senegalese.

💬 È la prima volta che viene in Italia?

💬 Sì.

💬 Deve portare il codice fiscale, il passaporto e il permesso di soggiorno validi. È sposato?

💬 Sì.

💬 Allora deve portare anche il certificato di matrimonio.

💬 Mi scusi, **io non ho il codice fiscale**, in quale ufficio devo andare per farlo?

💬 Non lo può fare qui, deve andare all'Ufficio delle Imposte.

💬 **Dov'è l'Ufficio delle Imposte?**

💬 È vicino alla questura, in via Manzoni al numero 10.

MOAR DEVE FARE LA CARTA DI IDENTITÀ

💬 Buongiorno, sono un cittadino straniero e **devo fare la carta d'identità**, quali documenti servono?

💬 Lei è un cittadino comunitario o non comunitario?

104

💬 **Non comunitario**, sono senegalese.

💬 Servono il permesso di soggiorno e il passaporto validi. Deve portare anche tre fotografie formato tessera.

💬 Quanto costa fare la carta d'identità?

💬 Costa 5,42 euro, da pagare subito.

💬 **Quanto tempo devo aspettare** per avere la carta d'identità?

💬 Le diamo la sua carta di identità il giorno stesso in cui viene a farla.

💬 **Per quanto tempo è valida?**

💬 Vale 5 anni. Se prima di cinque anni però non rinnova il permesso di soggiorno, deve riconsegnare la carta di identità qui in Comune.

COME SI CHIAMA

Sportello

Foto tessera

Codice fiscale

Carta d'identità

MOAR CHIEDE UN CERTIFICATO DI RESIDENZA

💬 Buongiorno, **ho bisogno di un certificato di residenza**.
Quali documenti devo portare?

💬 Lei abita in questo comune?

💬 Sì.

💬 Deve portare la carta d'identità, il permesso di soggiorno e il passaporto validi.

💬 **Devo pagare** per avere questo certificato?

💬 No, il certificato di residenza è gratuito.

SAID CHIEDE UN CERTIFICATO DI IDONEITÀ ALLOGGIATIVA

💬 Mi scusi, in quale ufficio devo andare per **richiedere il certificato di idoneità dell'appartamento dove vivo?**

💬 Deve andare all'ufficio anagrafe. È in fondo al corridoio, a destra.

💬 Buongiorno, ho bisogno di un certificato di idoneità del mio appartamento.

💬 Ho capito, ha bisogno dell'idoneità alloggiativa. Per quale motivo?

💬 **Per far venire i miei genitori** in Italia.

💬 Deve portare la carta d'identità, il permesso di soggiorno e il passaporto validi.

💬 **Ho già questi documenti.** Devo portare anche altre cose?

💬 Lei abita in un appartamento in affitto?

💬 Sì.

💬 Allora deve portare il contratto di affitto dell'appartamento, con i certificati catastali. Può avere maggiori informazioni all'Ufficio Stranieri, in via Roma.

COSA SIGNIFICA ···

« CERTIFICATO »
È un foglio che richiedi in comune o in altri enti, che assicura che quello che tu dichiari (il posto dove vivi, la tua data di nascita, ecc.) è vero.

« CONTRATTO D'AFFITTO/CONTRATTO DI COMPRAVENDITA »
È il documento dove viene scritto che una persona ti ha dato in affitto o ti ha venduto una casa di sua proprietà.

« SPORTELLO »
È il posto dove puoi trovare un impiegato del comune che riceve i cittadini e dà informazioni.

HASSAN SI INFORMA SUI SERVIZI DELLO STATO CIVILE

💬 Buongiorno, **vorrei sposarmi in questo comune** e vorrei sapere cosa devo fare.

💬 Deve andare all'Ufficio di Stato Civile. Lì le possono dare tutte le informazioni necessarie.

💬 Buongiorno, **quali documenti servono per sposarsi in questo comune?**

💬 Deve fare la richiesta in questo ufficio; gli sposi e i testimoni devono poi presentarsi in comune con la carta d'identità valida.

💬 **In quali giorni è possibile sposarsi?**

💬 Tutti i giorni della settimana.

💬 **C'è da pagare?**

💬 Sì, c'è da pagare. Deve pagare di più o di meno secondo il giorno che sceglie.

107

💬 Mi scusi, ho un'altra domanda. **Mia sorella aspetta un bambino, cosa dobbiamo fare quando nasce?**

💬 Sua sorella ha la residenza in questo comune?

💬 Sì.

💬 Allora entro dieci giorni dalla nascita del bambino dovete venire in questo Ufficio con la carta d'identità e il certificato di nascita rilasciato dall'ospedale.

💬 **Il bambino è cittadino italiano?**

💬 No. I figli nati in Italia da genitori stranieri, comunitari o non comunitari, non ottengono la cittadinanza italiana con la nascita.

ALINE CHIEDE INFORMAZIONI
ALL'ANAGRAFE

💬 Buongiorno, vorrei sapere **cosa devo fare per iscrivermi all'anagrafe** di questo comune.

💬 Lei è cittadina comunitaria o non comunitaria?

💬 **Sono cittadina comunitaria**, sono francese.

💬 Per quanto tempo si ferma in Italia?

💬 **Per tre anni.**

💬 Per quale motivo è in Italia?

💬 **Per studio.**

💬 Allora deve portare un certificato di iscrizione alla scuola che frequenta, l'assicurazione sanitaria e una dichiarazione sulla sua situazione economica, sui soldi che può spendere.

💬 **C'è un ufficio che mi può aiutare** con i documenti?

💬 Sì, c'è l'Ufficio Stranieri, in via Roma. È aperto il lunedì e il martedì dalle 9 alle 12.

💬 Grazie, arrivederci.

MI METTO ALLA PROVA

LEGGI IL DIALOGO E INDICA VERO O FALSO

A: Buongiorno, sono una cittadina non comunitaria e vorrei fare
l'iscrizione anagrafica in questo comune.

B: Per quanto tempo si ferma in Italia?

A: Per un anno.

B: Per quale motivo è venuta in Italia?

A: Per lavorare.

B: Ha un alloggio?

A: Sì, ho una stanza in affitto in casa di una signora.

B: Servono il codice fiscale, il passaporto e il permesso di soggiorno validi.

A: In quale ufficio devo andare?

B: Deve andare all'Ufficio anagrafe, con tutti i documenti.

	V	F
1 Suad è una cittadina non comunitaria.	☐	☐
2 Suad si ferma in Italia per un mese.	☐	☐
3 Suad è in Italia per lavorare.	☐	☐
4 Suad ha un appartamento in affitto.	☐	☐
5 Suad deve andare all'Ufficio di Stato Civile per fare l'iscrizione anagrafica.	☐	☐

TROVA LA DOMANDA GIUSTA

1 Sì, è l'ufficio giusto.
☐ Sono questi i documenti per rinnovare la carta d'identità?
☐ È questo l'ufficio per fare l'iscrizione anagrafica?
☐ È aperto l'ufficio anagrafe?

2 Deve portare la carta d'identità, il passaporto e il permesso di soggiorno.
☐ Dove devo andare per fare il certificato di residenza?
☐ Ho perso la carta d'identità, cosa devo fare?
☐ Quali documenti servono per fare il certificato di residenza?

COME SI DICE...
... PER CERCARE CASA

MOAR CERCA UN APPARTAMENTO

💬 Ciao, Tommaso.

💬 Ciao Moar, come stai?

💬 Io bene, e tu? **Dove abiti ora?**

💬 Abito qui a Padova, in un appartamento in centro.

💬 **È tuo l'appartamento?**

💬 No, sono in affitto.

💬 **Paghi** molto d'affitto?

💬 Sì, pago molto. Pago 600 euro al mese.

💬 Io adesso **vivo con altri stranieri** in una casa di campagna.

💬 Ci stai bene?

💬 No, la casa è fredda ed è troppo lontana dalla città.
Voglio cambiare, **cerco un appartamento in periferia.**

💬 Cerchi un appartamento in affitto?

💬 Sì, **cerco un appartamento in affitto.**

✓ **Puoi pagare l'affitto in diversi modi:**

in contanti

con un assegno bancario

con un bonifico bancario

INFO

MOAR LEGGE GLI ANNUNCI

112

VENDESI	AFFITTASI	AFFITTASI
PADOVA	PADOVA	RONCAGLIA (PD)
In **zona servita**, appartamento all'ultimo piano di un condominio composto da ingresso, soggiorno, cucina, 2 camere, 2 bagni, garage.	**Monolocale** al piano terra di case a schiera. Posto auto. **Arredato.**	**Piano terra di villetta** con ingresso, soggiorno con angolo cottura, 2 camere, 2 bagni e posto auto.
Euro 200.000	Euro 550/mese	Euro 600/mese

COSA SIGNIFICA ·

« VENDITA »
Puoi comprare la casa se paghi il prezzo che il proprietario chiede.

« AFFITTO »
Puoi vivere nella casa se paghi ogni mese il prezzo richiesto dal proprietario.

« ZONA SERVITA »
La casa è in una zona con negozi, autobus e tram.

« MONOLOCALE »
L'appartamento ha una sola stanza e il bagno.

« APPARTAMENTO ARREDATO »
L'appartamento ha già tutti i mobili.

MOAR È IN AGENZIA

🗨 Buongiorno, cosa desidera?

💬 **Cerco un appartamento in affitto** a Padova.

🗨 Dove vuole abitare? In centro o in periferia?

💬 Cerco un appartamento **in periferia**.

🗨 Lei è cittadino italiano?

💬 No.

🗨 Ha il permesso di soggiorno?

💬 Sì.

🗨 Ha un contratto di lavoro?

💬 Sì.

🗨 Quanto vuole spendere?

💬 **Non più di 450 euro al mese**.

🗨 Per questa cifra adesso non ho nulla.
Può ripassare la prossima settimana?

💬 Va bene, arrivederci.

✓ **Se vuoi affittare un appartamento e sei straniero, devi avere
il permesso di soggiorno e un contratto di lavoro regolare.**

✓ **Un contratto di affitto dura quattro anni.**

INFO

MOAR VA A VEDERE UN APPARTAMENTO

💬 Buongiorno, **sono venuto per vedere l'appartamento**.

💬 Si accomodi.

💬 Sì, grazie.

114

💬 Ecco, questo è il soggiorno con angolo cucina. Questa è la camera: è molto grande. Qui c'è il bagno: è piccolo, ma è nuovo. In tutto sono 40 metri quadri.

💬 **Quant'è l'affitto** al mese?

💬 500 euro.

💬 L'appartamento mi piace, ma **l'affitto è caro**.

💬 No, non è caro. A meno di 500 euro non trova nulla.

💬 **C'è un posto per la macchina**?

💬 No, non c'è, ma può lasciare la macchina sul viale. In questa zona non ci sono problemi di parcheggio.

💬 **Ci sono gli autobus** per andare in centro?

💬 Sì, ce ne sono molti. Il numero 17 passa ogni quindici minuti.

💬 **Mi può fare uno sconto** sull'affitto? Devo anche comprare i mobili.

💬 Posso fare 480, ma non di meno.

💬 Va bene. Quando posso avere le chiavi?

💬 Domani preparo il contratto, dopodomani lo firma e io le dò le chiavi.

💬 **D'accordo**, arrivederci.

ABBINA IL NUMERO ALLA LETTERA GIUSTA

1 CAMERA

2 INGRESSO

3 SOGGIORNO

4 CUCINA

5 CAMERA

6 BAGNO

1 ☐ 2 ☐ 3 ☐ 4 ☐ 5 ☐ 6 ☐

TROVA LA SOLUZIONE

115

1 Vuoi affittare un piccolo appartamento. Quale di questi annunci leggi?

☐ VENDESI. Piccolo appartamento in centro.

☐ AFFITTASI. Appartamento di 80 metri quadri.

☐ AFFITTASI. Appartamento di 40 metri quadri.

2 Vuoi sapere quanto devi pagare al mese per un appartamento. Cosa chiedi?

☐ Quanto costa il canone?

☐ Quant'è l'affitto al mese?

☐ Quanto costa l'appartamento?

3 Il proprietario di un appartamento ti chiede un affitto alto, che non puoi pagare. Cosa dici?

☐ È troppo caro per me.

☐ L'appartamento non mi piace.

☐ È un prezzo ingiusto.

HASSAN VA IN UN'AGENZIA DEL LAVORO

- Buongiorno, **sono disoccupato e vorrei trovare un lavoro**.
- Di che nazionalità è?
- Sono senegalese.
- Ha il permesso di soggiorno valido?
- Sì. È valido un anno.
- Deve compilare questo modulo con i suoi dati e indicare il settore dove vuole lavorare.
- **Vorrei lavorare come cuoco** o aiuto cuoco.
- Ha già esperienza in questo lavoro?
- **Sì, ho lavorato come cuoco** nel mio Paese. Ho anche frequentato una scuola per cuochi.
- Ha fatto anche altri lavori?
- **Sì, ho fatto il cameriere e il magazziniere.**
- Va bene, mi porti quanto prima un curriculum e il modulo compilato.

- Se nel modulo c'è qualcosa che non capisco, come faccio?
- Non si preoccupi, quando torna l'aiuto io.

117

SAID CERCA LAVORO IN UN'AGENZIA

💬 Buongiorno, **vorrei fare domanda di lavoro**.

🗨 Ha la nazionalità italiana?

💬 No, sono marocchino.

🗨 **Ha i documenti in regola**?

💬 Sì, tutto in regola.

🗨 Quanti anni ha?

💬 Ho 27 anni.

🗨 Ha già lavorato in Italia?

💬 No, **è la prima volta che cerco lavoro in Italia**.

🗨 Conosce bene l'italiano?

💬 Abbastanza bene. **Ho studiato italiano a scuola**, nel mio Paese.

🗨 Che lavoro cerca?

💬 **In Marocco ho fatto l'operaio** e il cameriere nei ristoranti, ma posso fare anche altri lavori.

🗨 Cerca un lavoro part-time o a tempo pieno?

💬 **A tempo pieno**.

🗨 Bene, appena abbiamo una richiesta un lavoro adatto a lei le telefoniamo e le fissiamo un colloquio.

COSA SIGNIFICA ·

« LAVORO PART-TIME »
È un lavoro dove sei occupato meno di 8 ore al giorno.

« LAVORO A TEMPO PIENO »
È un lavoro dove sei occupato 8 ore al giorno.

« COLLOQUIO »
È un incontro con un datore di lavoro. Serve per capire se sei la persona adatta per fare un certo tipo di lavoro.

MOAR VA AL CENTRO PER L'IMPIEGO

💬 Buongiorno, **sono disoccupato e vorrei fare domanda di lavoro**.

🗨 È la prima volta che viene in un Centro per l'impiego?

💬 **Sì, è la prima volta.**

🗨 Lei è straniero?

💬 Sì, sono senegalese.

🗨 Come mai è in Italia?

💬 **Sono venuto per lavorare**, ma ora sono senza lavoro.

🗨 Lei vive in questa città?

💬 Sì.

🗨 Compili questo modulo. Così inseriamo la sua domanda nella banca dati del Centro.

💬 Quali documenti servono per fare domanda di lavoro?

🗨 **Il permesso di soggiorno**, il codice fiscale e l'idoneità alloggiativa.

💬 Ho frequentato la scuola superiore nel mio Paese e ho il diploma. **È valido questo titolo di studio in Italia**?

🗨 Per rendere valido il suo titolo di studio deve andare all'Ufficio Asseverazione Titoli del tribunale.

119

COSA SIGNIFICA ·····································

« DATORE DI LAVORO »
È il proprietario di un'azienda o di un'impresa che paga delle persone, i lavoratori, che lavorano da lui.

« DISOCCUPATO »
È una persona che è senza lavoro.

« LAVORO SUBORDINATO »
È il lavoro che uno fa come dipendente da un datore di lavoro.

SUAD TELEFONA
PER UN ANNUNCIO DI LAVORO

🗨 Pronto?

💬 Buongiorno, mi chiamo Suad Benaissa. Ho letto su "Portobello" che cercate una cameriera per le pulizie ai piani. **È ancora disponibile il posto?**

🗨 Sì. Lei ha esperienza?

💬 **Ho lavorato come cameriera nei ristoranti.**

🗨 Quanti anni ha?

💬 Ho 25 anni.

🗨 È straniera?

💬 Sì, sono marocchina, ma **capisco bene l'italiano.**

🗨 Ha il permesso di soggiorno?

💬 Sì, **ho tutti i documenti in regola.**

🗨 Allora possiamo fissare un colloquio con il proprietario dell'albergo per martedì mattina alle 10, va bene? Deve venire in via Manzoni 13, all'Hotel Luxor.

💬 Va bene. Arrivederci.

HASSAN SI INFORMA SUL TIPO DI LAVORO

🗨 Buongiorno, ho visto che cercate un aiuto cuoco. È ancora disponibile il posto?

🗨 Sì, non abbiamo ancora assunto nessuno. Lei è straniero, vero?

🗨 Sì, sono marocchino, ma sono in regola.

🗨 Ha già fatto questo tipo di lavoro?

🗨 Sì, **ho già lavorato come cuoco nel mio Paese.**

🗨 Qui l'aiuto cuoco deve anche pulire la cucina. Le va bene?

🗨 Sì. **Quali sono gli orari di lavoro**?

🗨 Tutti i giorni, dalle 10.30 alle 15.30 e dalle 19 alle 22, compresi i festivi. Ci sono un giorno di riposo settimanale e due pause per il pranzo e la cena.

🗨 **È possibile fare un periodo di prova**?

🗨 Sì, può venire lunedì prossimo e fare due giorni di prova.

🗨 Va bene, vengo lunedì. Arrivederci.

✓ Quando vai all'Agenzia del lavoro o al Centro per l'impiego oltre ai documenti devi portare il tuo curriculum.

✓ Se hai dei titoli di studio devi andare all'ufficio competente per farli riconoscere.

✓ Ricordati poi di chiedere al datore di lavoro che tipo di contratto ti vuole fare.

SUAD È AL COLLOQUIO DI LAVORO

🗨 Buongiorno, lei è...?

💬 Mi chiamo Suad
Benaissa. **Avevo
appuntamento oggi
per il posto di came-
riera ai piani.**

🗨 Ha già esperienza?

💬 Non ho mai fatto
la cameriera in un
albergo, ma ho fatto
la cameriera nei
ristoranti.

🗨 Di quale nazionalità è?

💬 **Sono marocchina.**

🗨 È sposata?

💬 No.

🗨 Ha i documenti in regola? Li posso vedere?

💬 **I documenti sono in regola.** Ho portato il permesso di soggiorno
e il certificato di residenza.

💬 **Qual è l'orario di lavoro?**

🗨 È un lavoro a tempo pieno, tutti i giorni, compresi i festivi.

💬 C'è un giorno libero?

🗨 Sì, il martedì o il mercoledì.

💬 **Che tipo di contratto è?**

🗨 È un contratto a tempo determinato per un anno.

💬 C'è la possibilità di **essere assunta a tempo indeterminato?**

🗨 Sì.

💬 **Qual è la retribuzione mensile?**

🗨 Sono 900 euro al mese. Può venire domani per una prova?
Se va bene, da lunedì facciamo il contratto.

💬 **D'accordo**, vengo domani. Arrivederci.

MI METTO ALLA PROVA

TROVA LA SOLUZIONE

1 Ti chiedono se hai esperienza di un lavoro. Come rispondi?
- ☐ Ho già fatto questo lavoro al mio Paese.
- ☐ Ho tutti i documenti in regola.
- ☐ Sono marocchina.

2 Vuoi sapere se un posto di lavoro è libero. Come dici?
- ☐ A che ora comincio a lavorare?
- ☐ È ancora disponibile il posto?
- ☐ Che cosa devo fare?

3 Vuoi sapere se hai dei giorni di riposo settimanale. Come dici?
- ☐ Lavoro nei giorni festivi?
- ☐ Qual è l'orario di lavoro giornaliero?
- ☐ Quanti giorni liberi ho alla settimana?

123

METTI IN ORDINE IL DIALOGO

A. Ho lavorato due anni come cuoco nel mio Paese, in Marocco.

B. Allora fissiamo un colloquio per giovedì alle 10, va bene?

C. Pronto?

D. Sì, è disponibile, lei ha esperienza?

E. Buongiorno, chiamo per l'offerta di lavoro come aiuto cuoco, è ancora disponibile il posto?

F. Va bene, a giovedì.

G. Sì, ho tutti i documenti in regola.

H. Ha il permesso di soggiorno?

1 ☐   2 ☐   3 ☐   4 ☐   5 ☐   6 ☐   7 ☐   8 ☐

CHIAVI DEGLI ESERCIZI

... per prendere un autobus (p. 9)

ABBINA IL NUMERO ALLA LETTERA GIUSTA: **1B; 2D; 3A; 4E; 5C**
TROVA LE SOLUZIONI: **1 Sì; 2 All'edicola; 3 Sì**

... per prendere un treno (pp. 16-17)

ABBINA IL NUMERO ALLA LETTERA GIUSTA: **1E; 2C; 3B; 4A; 5D**
GIOCHI DI PAROLE: **1 Stazione; 2 Controllore; 3 Eurostar; 4 Biglietteria; 5 Classe; 6 Ritardo**
TROVA LE SOLUZIONI: **1 Eurostar; 2 Occupato; 3 Scusi, a che ora ho la coincidenza per Ancona?**
COMPLETA CON LE PAROLE GIUSTE: **1 Biglietti; 2 Coincidenza; 3 Binario; 4 Prenotazione**

... per prendere un aereo (pp. 24-25)

METTI IN ORDINE LE FRASI: **1D; 2A; 3C; 4E; 5B**
ABBINA IL VOLO ALLA RICHIESTA: **1B; 2C; 3A**
COMPLETA CON LE PAROLE GIUSTE: **1 Taxi; 2 Check-in; 3 Bagaglio a mano; 4 Carta d'imbarco; 5 Ufficio**
ABBINA IL NUMERO ALLA LETTERA GIUSTA: **1E; 2C; 3A; 4D; 5B**

... al bar (p. 31)

CANCELLA LA PAROLA CHE NON È AL POSTO GIUSTO:
BEVANDE >**Toast**; CIBI >**Vino**; APERITIVO >**Cappuccino**
ABBINA LE BATTUTE GIUSTE: **1E; 2A; 3B; 4C; 5D**
ABBINA IL NUMERO ALLA LETTERA GIUSTA: **1C; 2F; 3A; 4E; 5D; 6B**

... all'albergo (p. 37)

VERO O FALSO? **1 Falso; 2 Vero; 3 Falso; 4 Vero**
SCEGLI IL SIGNIFICATO GIUSTO: **1 Una camera con due letti;
2 Dormi, fai colazione, pranzi e ceni; 3 Hai una camera pronta per te**

... al ristorante – in pizzeria (p. 43)

COMPLETA LA PAROLA:
1 Cameriere; 2 Prenotazione; 3 Secondo; 4 Conto; 5 Menù; 6 Contorno

METTI IN ORDINE IL DIALOGO: **1G; 2B; 3C; 4F; 5E; 6H; 7A; 8D**
CANCELLA LA PAROLA CHE NON È AL POSTO GIUSTO:
PRIMI PIATTI >**Insalata mista**; SECONDI PIATTI >**Minestra di verdure**;
DESSERT >**Patate al forno**

... al supermercato (pp. 50-51)
INSERISCI LA PAROLA GIUSTA: **Un chilo – Cinque fette – Un litro –
Un etto – Un litro – Un chilo – Un chilo**
CANCELLA LA PAROLA CHE NON È AL POSTO GIUSTO:
UN PACCO DI >**Olio**; UN VASETTO DI >**Birra**; UNA CONFEZIONE DI >**Succo
di frutta**; UNA BOTTIGLIA DI >**Sale**
VERO O FALSO? **1 Falso; 2 Vero; 3 Falso; 4 Vero**
COMPLETA CON LE PAROLE GIUSTE **1 Reparto pane e dolci; 2 Reparto
gastronomia; 3 Reparto frutta e verdura; 4 Reparto macelleria**
METTI IN ORDINE IL DIALOGO: **1A; 2C; 3F; 4D; 5B; 6G; 7H; 8E**

... al mercato (p. 59)
ABBINA IL NUMERO ALLA LETTERA GIUSTA: **1F; 2C; 3B; 4E; 5G, 6D; 7A**

125

SCEGLI LA RISPOSTA GIUSTA: **1 La 44; 2 Sono troppo strette; 3 Da una
piazza; 4 No, è troppo caro**

... in banca (pp. 66-67)
ABBINA IL NUMERO ALLA LETTERA GIUSTA: **1D; 2A; 3B; 4C**
TROVA LE SOLUZIONI: **1 No; 2 Ti dà dei soldi; 3 Fare una firma dietro
all'assegno**
GIOCHI DI PAROLE: **1 Banca; 2 Sabato; 3 Bancomat; 4 Assegno; 5 Boni-
fico; 6 Conto corrente; 7 Commissioni; 8 Busta paga**
RIORDINA IL DIALOGO: **1D; 2B; 3F, 4A; 5C; 6E**

... alla posta (p. 75)
METTI IN ORDINE LE LETTERE E SCOPRI LA PAROLA GIUSTA: **1 Bollette;
2 Turno; 3 Raccomandata; 4 Codice fiscale; 5 Conto corrente; 6 Libretto**
COLLEGA LE FRASI: **1C; 2F; 3A; 4B; 5D; 6E**

... dal meccanico (p. 81)
COMPLETA I DIALOGHI CON LE PAROLE GIUSTE: **1 Meccanico - Carro**

attrezzi; 2 Revisione – Lunedì; 3 Incidente – Auto sostitutiva
TROVA L'ESPERTO GIUSTO: **1D; 2A; 3B**

... in farmacia (p. 87)
COMPLETA LE FRASI CON LA PAROLA GIUSTA: **1 Cerotto; 2 Gocce;
3 Termometro; 4 Pomata; 5 Spray**
TROVA LE SOLUZIONI: **1 Per comprare le medicine; 2 Le medicine e altri
prodotti per la salute; 3 Una medicina che non devo pagare;
4 Andare in farmacia con la ricetta del medico**

... al Pronto soccorso (p. 88)
ABBINA L'IMMAGINE GIUSTA ALLA FRASE: **1B; 2D; 3A; 4E; 5C**
METTI IN ORDINE IL DIALOGO: **1F; 2B; 3G; 4C; 5H; 6E; 7A; 8D; 9I**

... in Questura (p. 101)
COSA SIGNIFICA? **1B; 2D; 3A; 4C**
TROVA LE SOLUZIONI: **1 Vorrei denunciare il furto del portafoglio;
2 Vorrei sapere cosa devo fare per poter ospitare un amico.**
METTI IN ORDINE IL DIALOGO: **1E; 2D; 3B; 4F; 5A; 6C**

... in Comune (p. 109)
LEGGI IL DIALOGO E INDICA VERO O FALSO: **1 Vero; 2 Falso; 3 Vero;
4 Falso; 5 Falso**
TROVA LA DOMANDA GIUSTA: **1 È questo l'ufficio per fare l'iscrizione
anagrafica?; 2 Quali documenti servono per fare il certificato di residenza?**

... per cercare casa (p. 115)
ABBINA IL NUMERO ALLA LETTERA GIUSTA: **1D; 2C; 3E; 4B; 5F; 6A**
TROVA LA SOLUZIONE: **1 AFFITTASI. Appartamento di 40 metri quadri;
2 Quant'è l'affitto al mese?; 3 È troppo caro per me**

... per cercare un lavoro (p. 123)
TROVA LA SOLUZIONE: **1 Ho già fatto questo lavoro al mio paese;
2 È ancora disponibile il posto?; 3 Quanti giorni liberi ho alla settimana?**
METTI IN ORDINE IL DIALOGO: **1C; 2E; 3D; 4A; 5H; 6G; 7B; 8F**

SOMMARIO

COME SI DICE...